M000032452

Émile Zola

L'Attaque du moulin

et autres nouvelles

classiques Hatier

Un genre

La nouvelle

Véronique Heute,
certifiée de lettres modernes

Dominique Lefebvre,
agrégée de lettres classiques

© Hatier
Paris 2004
ISBN 978-2-218-**74709**-0
ISSN 0184 0851

L'air du temps

La parution des nouvelles

■ « L'Attaque du moulin » paraît le 15 avril 1880 dans les *Soirées de Médan*, recueil de six nouvelles d'auteurs différents, qui s'inspirent des souvenirs de la guerre de 1870. Elles constituent une des premières manifestations du mouvement naturaliste.

■ *Naïs Micoulin* (1883) est un recueil de six nouvelles dont font partie « Naïs Micoulin » (septembre 1877) et « Nantas » (octobre 1878).

À la même époque...

■ 1er mai-10 novembre 1880 : exposition universelle à Paris.

■ 11 juillet 1880 : armistice totale pour les communards. 14 juillet 1880 : première célébration de la fête nationale.

■ 8 mai : mort de Flaubert.

■ En 1881, Renoir peint *Le Déjeuner des canotiers*, pour relever le défi lancé par Zola aux impressionnistes : traiter de grands sujets construits et réalistes évoquant la vie moderne.

Sommaire

Introduction

Émile Zola
(1840-1902)

Les années de jeunesse

Zola est né à Paris en 1840 d'un
père italien, ingénieur des travaux
publics et d'une mère française.
La famille s'installe à Aix-en-
Provence : le père de Zola y est
chargé de la construction d'un
barrage pour l'alimentation en eau
de la ville. Mais il meurt en 1847,
laissant les siens dans de grandes
difficultés financières.

Portrait d'Émile Zola

Le jeune Émile fait donc ses études au collège d'Aix où il fait la connaissance du futur peintre Paul Cézanne, puis il va vivre à Paris avec sa
mère. Après avoir échoué deux fois au baccalauréat, il entre en 1862
comme manutentionnaire aux éditions Hachette, où il devient bientôt
chef de publicité.

Les débuts de l'écrivain

Zola décide de vivre de sa plume et quitte l'édition. Il devient critique
littéraire et journaliste politique, fréquente les grands peintres impressionnistes (Cézanne, Pissaro, Monet, Manet, Sisley, Renoir). Il écrit
en 1864 son premier ouvrage, un recueil de nouvelles appelé *Contes
à Ninon,* puis en 1867 c'est le premier roman, *Thérèse Raquin*, histoire
d'un crime passionnel. La préface du roman pose les principes naturalistes qui seront les moteurs de sa construction romanesque :
le milieu, l'hérédité, les pulsions physiques conditionnent le
comportement d'un individu.

Le cycle des Rougon-Macquart

En 1868, Zola forme un vaste projet : réaliser une série romanesque retraçant l'histoire, sur plusieurs générations, d'une famille marquée par une hérédité névrotique et alcoolique. La fondatrice de cette famille, Adélaïde Fouque, est mariée à un paysan Marius Rougon dont elle a un fils, mais elle devient veuve et prend un amant, Macquart, contrebandier déséquilibré et ivrogne. Cette œuvre intitulée *Les Rougon-Macquart, Histoire naturelle et sociale d'une famille sous le Second Empire* comporte vingt romans publiés entre 1871 et 1893 dont *Au bonheur des dames* (1883), *Germinal* (1885), *La Bête humaine* (1890).

La vie privée

Zola épouse en 1870 Gabrielle-Alexandrine Meley et achète en 1878 une maison à Médan, non loin de Paris, où il invite de nombreux écrivains. Il est devenu le chef de file des naturalistes et patronne l'édition d'un recueil collectif de nouvelles, les *Soirées de Médan* qu'il publie en 1880. Cette même année est assombrie par la mort de sa mère et de son ami Gustave Flaubert.

En 1888, il tombe amoureux de Jeanne Rozerot, une jeune lingère âgée de vingt ans et mène désormais une double vie, partagé entre sa femme et sa maîtresse dont il a deux enfants.

L'engagement politique

De par les thèmes abordés, Zola se trouve très proche des thèses socialistes développées à l'époque. Le 15 octobre 1894, le capitaine Dreyfus, officier juif de l'armée française est accusé d'espionnage au profit de l'Allemagne. Il est dégradé et déporté en Guyane. Zola, convaincu de l'innocence de Dreyfus publie dans le Journal *L'Aurore* du 13 janvier 1898 le fameux « J'accuse » qui lui vaudra une sévère condamnation. Il s'exile en Angleterre puis rentre en France. Il meurt le 29 septembre 1902, dans son appartement parisien, asphyxié par des émanations de gaz. La preuve est faite aujourd'hui qu'il a été victime d'un assassinat. Zola n'aura pas assisté au triomphe de sa cause : Dreyfus sera innocenté et réhabilité en 1904.

Une esthétique naturaliste et visionnaire

Dès 1866, Zola utilise le mot naturalisme pour définir une esthétique littéraire fondée sur l'observation et l'expérience. Son projet est de réaliser un document sur la nature humaine. Avec la publication de *Nana* (1880), il devient le chef de file du mouvement. Le romancier naturaliste part de l'observation du réel : il reconstitue un milieu, y place des personnages et les fait évoluer dans ce milieu, convaincu que les comportements humains sont déterminés par l'hérédité, le milieu familial et l'état physiologique du corps. Mais chez Zola, l'observation du réel est toujours un moteur de l'imaginaire. Sous sa plume, la réalité se transforme en une vision mythique et symbolique ; tout prend vie : halles, grand magasin, mine… Quelques images privilégiées se développent et irradient ainsi dans toute l'œuvre. L'œuvre de Zola revêt par ailleurs une dimension picturale. Ami intime de Cézanne, admirateur de Manet, Monet, Pissaro, il transpose dans son écriture l'impressionnisme pictural, restituant les jeux de lumière, l'atmosphère, par juxtaposition de touches de couleurs.

Le genre de la nouvelle

La nouvelle est un récit court généralement centré sur un seul événement et comportant peu de personnages. Elle peut s'attacher à évoquer un moment précis d'une existence, comme elle peut en quelques pages rapporter un laps de temps considérable autour de moments choisis. Sa forme brève permet une construction dramatique ramassée : les événements s'enchaînent en fonction de la fin de la nouvelle et de l'effet que cherche à produire le narrateur. Dans cette perspective la chute de la nouvelle est particulièrement soignée, elle cherche souvent à surprendre le lecteur ou à susciter sa réflexion. La nouvelle « L'Attaque du Moulin » est extraite des *Soirées de Médan* (1880), recueil de six nouvelles écrites par différents auteurs dont Zola et Maupassant (avec *Boule de Suif*). Médan est le nom du village dans lequel Zola avait acheté une maison de campagne. Toutes s'inspirent des souvenirs de la guerre de 1870. Ces nouvelles constituent une des premières manifestations du mouvement naturaliste. *Naïs Micoulin* (1883) est un recueil de six nouvelles préalablement publiées dans le *Messager de l'Europe*, revue mensuelle pétersbourgeoise, parmi lesquelles figurent « Naïs Micoulin » (1877) et « Nantas » (1878).

Émile Zola

L'Attaque du moulin
et autres nouvelles

Le Château de Médan, Paul Cézanne, 1880.

Nouvelle 1
L'Attaque du moulin

I

Le moulin du père Merlier, par cette belle soirée d'été, était en grande fête. Dans la cour, on avait mis trois tables, placées bout à bout, et qui attendaient les convives[1]. Tout le pays savait qu'on devait fiancer, ce jour-là, la fille Merlier, Françoise, avec
5 Dominique, un garçon qu'on accusait de fainéantise, mais que les femmes, à trois lieues[2] à la ronde, regardaient avec des yeux luisants, tant il avait bon air.

Ce moulin du père Merlier était une vraie gaieté. Il se trouvait juste au milieu de Rocreuse, à l'endroit où la grand-route
10 fait un coude. Le village n'a qu'une rue, deux files de masures[3], une file à chaque bord de la route ; mais là, au coude, des prés s'élargissent, de grands arbres, qui suivent le cours de la Morelle, couvrent le fond de la vallée d'ombrages magnifiques. Il n'y a pas, dans toute la Lorraine[4], un coin de nature plus
15 adorable. À droite et à gauche, des bois épais, des futaies séculaires[5] montent des pentes douces, emplissent l'horizon d'une mer de verdure ; tandis que, vers le midi, la plaine s'étend, d'une fertilité merveilleuse, déroulant à l'infini des pièces de terre coupées de haies vives. Mais ce qui fait surtout le charme
20 de Rocreuse, c'est la fraîcheur de ce trou de verdure, aux journées les plus chaudes de juillet et d'août. La Morelle descend des bois de Gagny, et il semble qu'elle prenne le froid des

---

1. Invités.
2. Mesure linéaire ancienne valant 4 km.
3. Maisons misérables ou délabrées placées à la suite les unes des autres.

4. L'action de cette nouvelle se passe en Lorraine ; cependant, les noms géographiques sont fictifs.
5. Forêts dont on exploite les arbres atteignant une grande dimension, et qui sont âgées d'un ou de plusieurs siècles.

feuillages sous lesquels elle coule pendant des lieues ; elle
apporte les bruits murmurants, l'ombre glacée et recueillie des
25 forêts. Et elle n'est point la seule fraîcheur : toutes sortes d'eaux
courantes chantent sous les bois ; à chaque pas, des sources
jaillissent ; on sent, lorsqu'on suit les étroits sentiers, comme
des lacs souterrains qui percent sous la mousse et profitent
des moindres fentes, au pied des arbres, entre les roches, pour
30 s'épancher⁶ en fontaines cristallines. Les voix chuchotantes
de ces ruisseaux s'élèvent si nombreuses et si hautes, qu'elles
couvrent le chant des bouvreuils. On se croirait dans quelque
parc enchanté, avec des cascades tombant de toutes parts.

En bas, les prairies sont trempées. Des marronniers gigan-
35 tesques font des ombres noires. Au bord des prés, de longs
rideaux de peupliers alignent leurs tentures bruissantes. Il y
a deux avenues d'énormes platanes qui montent, à travers
champs, vers l'ancien château de Gagny, aujourd'hui en ruines.
Dans cette terre continuellement arrosée, les herbes grandis-
40 sent démesurément. C'est comme un fond de parterre entre
les deux coteaux boisés, mais de parterre naturel, dont les
prairies sont les pelouses, et dont les arbres géants dessinent
les colossales corbeilles. Quand le soleil, à midi, tombe
d'aplomb, les ombres bleuissent, les herbes allumées dorment
45 dans la chaleur, tandis qu'un frisson glacé passe sous les
feuillages.

Et c'était là que le moulin du père Merlier égayait de son tic-
tac un coin de verdures folles. La bâtisse, faite de plâtre et de
planches, semblait vieille comme le monde. Elle trempait à
50 moitié dans la Morelle, qui arrondit à cet endroit un clair
bassin. Une écluse était ménagée, la chute tombait de quelques
mètres sur la roue du moulin, qui craquait en tournant, avec
la toux asthmatique d'une fidèle servante vieillie dans la

6. S'écouler tranquillement.

maison. Quand on conseillait au père Merlier de la changer,
55 il hochait la tête en disant qu'une jeune roue serait plus pares-
seuse et ne connaîtrait pas si bien le travail; et il raccommo-
dait l'ancienne avec tout ce qui lui tombait sous la main, des
douves[7] de tonneau, des ferrures rouillées, du zinc, du plomb.
La roue en paraissait plus gaie, avec son profil devenu étrange,
60 tout empanachée[8] d'herbes et de mousses. Lorsque l'eau la
battait de son flot d'argent, elle se couvrait de perles, on voyait
passer son étrange carcasse sous une parure éclatante de colliers
de nacre.

   La partie du moulin qui trempait ainsi dans la Morelle avait
65 l'air d'une arche[9] barbare, échouée là. Une bonne moitié du
logis était bâtie sur des pieux. L'eau entrait sous le plancher,
il y avait des trous, bien connus dans le pays pour les anguilles
et les écrevisses énormes qu'on y prenait. En dessous de la
chute, le bassin était limpide comme un miroir, et lorsque la
70 roue ne le troublait pas de son écume, on apercevait des bandes
de gros poissons qui nageaient avec des lenteurs d'escadre[10].
Un escalier rompu descendait à la rivière, près d'un pieu où
était amarrée une barque. Une galerie de bois passait au-dessus
de la roue. Des fenêtres s'ouvraient, percées irrégulièrement.
75 C'était un pêle-mêle d'encoignures[11], de petites murailles, de
constructions ajoutées après coup, de poutres et de toitures qui
donnaient au moulin un aspect d'ancienne citadelle démantelée. Mais des lierres avaient poussé, toutes sortes de plantes
grimpantes bouchaient les crevasses trop grandes et mettaient
80 un manteau vert à la vieille demeure. Les demoiselles qui
passaient dessinaient sur leurs albums le moulin du père Merlier.

---

7. Planches courbées qui entrent dans la construction d'un tonneau.
8. Comme ornée d'un panache, les herbes et les mousses remplaçant les plumes.
9. Vaisseau de Noé, patriarche biblique, qui le construisit, par ordre de Dieu, pour se préserver du déluge avec sa famille.
10. Groupe de navires de guerre.
11. Angle intérieur formé par deux murs.

Du côté de la route, la maison était plus solide. Un portail en pierre s'ouvrait sur la grande cour, que bordaient à droite et à gauche des hangars et des écuries. Près d'un puits, un
85 orme[12] immense couvrait de son ombre la moitié de la cour. Au fond, la maison alignait les quatre fenêtres de son premier étage, surmonté d'un colombier. La seule coquetterie du père Merlier était de faire badigeonner cette façade tous les dix ans. Elle venait justement d'être blanchie, et elle éblouissait le
90 village, lorsque le soleil l'allumait, au milieu du jour.

Depuis vingt ans, le père Merlier était maire de Rocreuse. On l'estimait pour la fortune qu'il avait su faire. On lui donnait quelque chose comme quatre-vingt mille francs, amassés sou à sou. Quand il avait épousé Madeleine Guillard, qui lui appor-
95 tait en dot le moulin, il ne possédait guère que ses deux bras. Mais Madeleine ne s'était jamais repentie de son choix, tant il avait su mener gaillardement les affaires du ménage. Aujourd'hui, la femme était défunte, il restait veuf avec sa fille Françoise. Sans doute, il aurait pu se reposer, laisser la roue
100 du moulin dormir dans la mousse ; mais il se serait trop ennuyé, et la maison lui aurait semblé morte. Il travaillait toujours, pour le plaisir. Le père Merlier était alors un grand vieillard, à longue figure silencieuse, qui ne riait jamais, mais qui était tout de même très gai en dedans. On l'avait choisi pour maire,
105 à cause de son argent, et aussi pour le bel air qu'il savait prendre, lorsqu'il faisait un mariage.

Françoise Merlier venait d'avoir dix-huit ans. Elle ne passait pas pour une des belles filles du pays, parce qu'elle était chétive. Jusqu'à quinze ans, elle avait même été laide. On ne pouvait
110 pas comprendre, à Rocreuse, comment la fille du père et de la mère Merlier, tous deux si bien plantés, poussait mal et d'un air de regret. Mais à quinze ans, tout en restant délicate, elle

12. Arbre atteignant 20 à 30 mètres de haut.

prit une petite figure, la plus jolie du monde. Elle avait des cheveux noirs, des yeux noirs, et elle était toute rose avec ça ;
115 une bouche qui riait toujours, des trous dans les joues, un front clair où il y avait comme une couronne de soleil. Quoique chétive pour le pays, elle n'était pas maigre, loin de là ; on voulait dire simplement qu'elle n'aurait pas pu lever un sac de blé ; mais elle devenait toute potelée avec l'âge, elle devait
120 finir par être ronde et friande comme une caille. Seulement, les longs silences de son père l'avaient rendue raisonnable très jeune. Si elle riait toujours, c'était pour faire plaisir aux autres. Au fond, elle était sérieuse.

Naturellement, tout le pays la courtisait, plus encore pour
125 ses écus que pour sa gentillesse. Et elle avait fini par faire un choix, qui venait de scandaliser la contrée. De l'autre côté de la Morelle, vivait un grand garçon, que l'on nommait Dominique Penquer. Il n'était pas de Rocreuse. Dix ans auparavant, il était arrivé de Belgique, pour hériter d'un oncle, qui
130 possédait un petit bien, sur la lisière même de la forêt de Gagny, juste en face du moulin, à quelques portées[13] de fusil. Il venait pour vendre ce bien, disait-il, et retourner chez lui. Mais le pays le charma, paraît-il, car il n'en bougea plus. On le vit cultiver son bout de champ, récolter quelques légumes dont
135 il vivait. Il pêchait, il chassait ; plusieurs fois, les gardes faillirent le prendre et lui dresser des procès-verbaux. Cette existence libre, dont les paysans ne s'expliquaient pas bien les ressources, avait fini par lui donner un mauvais renom. On le traitait vaguement de braconnier[14]. En tout cas, il était pares-
140 seux, car on le trouvait souvent endormi dans l'herbe, à des heures où il aurait dû travailler. La masure qu'il habitait, sous les derniers arbres de la forêt, ne semblait pas non plus la

---

13. Distances auxquelles le fusil peut lancer un projectile.

14. Celui qui chasse ou pêche en des temps ou en des lieux défendus, ou avec des engins prohibés, ou sans permis.

demeure d'un honnête garçon. Il aurait eu un commerce avec les loups des ruines de Gagny, que cela n'aurait point surpris
145 les vieilles femmes. Pourtant, les jeunes filles, parfois, se hasardaient à le défendre, car il était superbe, cet homme louche, souple et grand comme un peuplier, très blanc de peau, avec une barbe et des cheveux blonds qui semblaient de l'or au soleil. Or, un beau matin, Françoise avait déclaré au père
150 Merlier qu'elle aimait Dominique et que jamais elle ne consentirait à épouser un autre garçon.

On pense quel coup de massue le père Merlier reçut ce jour-là ! Il ne dit rien, selon son habitude. Il avait son visage réfléchi ; seulement, sa gaieté intérieure ne luisait plus dans ses yeux.
155 On se bouda pendant une semaine. Françoise, elle aussi, était toute grave. Ce qui tourmentait le père Merlier, c'était de savoir comment ce gredin[15] de braconnier avait bien pu ensorceler sa fille. Jamais Dominique n'était venu au moulin. Le meunier guetta et il aperçut le galant, de l'autre côté de la Morelle,
160 couché dans l'herbe et feignant de dormir. Françoise, de sa chambre, pouvait le voir. La chose était claire, ils avaient dû s'aimer, en se faisant les doux yeux par-dessus la roue du moulin.

Cependant, huit autres jours s'écoulèrent. Françoise deve-
165 nait de plus en plus grave. Le père Merlier ne disait toujours rien. Puis, un soir, silencieusement, il amena lui-même Dominique. Françoise, justement, mettait la table. Elle ne parut pas étonnée, elle se contenta d'ajouter un couvert ; seulement les petits trous de ses joues venaient de se creuser de
170 nouveau, et son rire avait reparu. Le matin, le père Merlier était allé trouver Dominique dans sa masure, sur la lisière du bois. Là, les deux hommes avaient causé pendant trois heures, les portes et les fenêtres fermées. Jamais personne n'a su ce

15. Personne malhonnête, bandit (terme vieilli).

qu'ils avaient pu se dire. Ce qu'il y a de certain, c'est que le
175 père Merlier en sortant traitait déjà Dominique comme son
fils. Sans doute, le vieillard avait trouvé le garçon qu'il était
allé chercher, un brave garçon, dans ce paresseux qui se
couchait sur l'herbe pour se faire aimer des filles.

Tout Rocreuse clabauda[16]. Les femmes, sur les portes, ne
180 tarissaient pas au sujet de la folie du père Merlier, qui introduisait ainsi chez lui un garnement. Il laissa dire. Peut-être
s'était-il souvenu de son propre mariage. Lui non plus ne possédait pas un sou vaillant, lorsqu'il avait épousé Madeleine et
son moulin ; cela pourtant ne l'avait point empêché de faire
185 un bon mari. D'ailleurs, Dominique coupa court aux cancans,
en se mettant si rudement à la besogne, que le pays en fut émerveillé. Justement le garçon du moulin était tombé au sort[17],
et jamais Dominique ne voulut qu'on en engageât un autre.
Il porta les sacs, conduisit la charrette, se battit avec la vieille
190 roue, quand elle se faisait prier pour tourner, tout cela d'un
tel cœur, qu'on venait le voir par plaisir. Le père Merlier avait
son rire silencieux. Il était très fier d'avoir deviné ce garçon.
Il n'y a rien comme l'amour pour donner du courage aux
jeunes gens.

195 Au milieu de toute cette grosse besogne, Françoise et
Dominique s'adoraient. Ils ne se parlaient guère, mais ils se
regardaient avec une douceur souriante. Jusque-là, le père
Merlier n'avait pas dit un seul mot au sujet du mariage ; et
tous deux respectaient ce silence, attendant la volonté du
200 vieillard. Enfin, un jour, vers le milieu de juillet, il avait fait
mettre trois tables dans la cour, sous le grand orme, en invi-
tant ses amis de Rocreuse à venir le soir boire un coup avec
lui. Quand la cour fut pleine et que tout le monde eut le verre

---

16. Dit du mal de quelqu'un.

17. Les jeunes gens étaient désignés pour
le service militaire par tirage au sort.

en main, le père Merlier leva le sien très haut en disant :

205   – C'est pour avoir le plaisir de vous annoncer que Françoise épousera ce gaillard-là dans un mois, le jour de la Saint-Louis.

Alors, on trinqua bruyamment. Tout le monde riait. Mais le père Merlier, haussant la voix, dit encore :

– Dominique, embrasse ta promise. Ça se doit.

210   Et ils s'embrassèrent, très rouges, pendant que l'assistance riait plus fort. Ce fut une vraie fête. On vida un petit tonneau. Puis, quand il n'y eut là que les amis intimes, on causa d'une façon calme. La nuit était tombée, une nuit étoilée et très claire. Dominique et Françoise, assis sur un banc, l'un près de l'autre,

215   ne disaient rien. Un vieux paysan parlait de la guerre que l'empereur avait déclarée à la Prusse[18]. Tous les gars du village étaient déjà partis. La veille, des troupes avaient encore passé. On allait se cogner dur.

– Bah ! dit le père Merlier avec l'égoïsme d'un homme

220   heureux, Dominique est étranger, il ne partira pas… Et si les Prussiens venaient, il serait là pour défendre sa femme.

Cette idée que les Prussiens pouvaient venir parut une bonne plaisanterie. On allait leur flanquer une raclée soignée, et ce serait vite fini.

225   – Je les ai déjà vus, je les ai déjà vus, répéta d'une voix sourde le vieux paysan.

Il y eut un silence. Puis, on trinqua une fois encore. Françoise et Dominique n'avaient rien entendu ; ils s'étaient pris doucement la main, derrière le banc, sans qu'on pût les voir, et cela

230   leur semblait si bon, qu'ils restaient là, les yeux perdus au fond des ténèbres.

Quelle nuit tiède et superbe ! Le village s'endormait aux deux bords de la route blanche, dans une tranquillité d'enfant. On n'entendait plus, de loin en loin, que le chant de quelque coq

---

18. La guerre franco-prussienne a eu lieu en 1870. La France a perdu la Lorraine.

235 éveillé trop tôt. Des grands bois voisins, descendaient de longues haleines qui passaient sur les toitures comme des caresses. Les prairies, avec leurs ombrages noirs, prenaient une majesté mystérieuse et recueillie, tandis que toutes les sources, toutes les eaux courantes qui jaillissaient dans l'ombre,
240 semblaient être la respiration fraîche et rythmée de la campagne endormie. Par instants, la vieille roue du moulin, ensommeillée, paraissait rêver comme ces vieux chiens de garde qui aboient en ronflant ; elle avait des craquements, elle causait toute seule, bercée par la chute de la Morelle, dont la nappe
245 rendait le son musical et continu d'un tuyau d'orgues. Jamais une paix plus large n'était descendue sur un coin plus heureux de nature.

à suivre…

Moulin dans un paysage.
Peinture du XIXe siècle.

Repérer et analyser

Le narrateur

Le statut du narrateur

Le narrateur est celui qui raconte l'histoire. Identifier le statut du narrateur, c'est dire s'il est ou non personnage de l'histoire qu'il raconte. S'il est personnage de l'histoire, il mène le récit à la première personne; s'il est absent de l'histoire, il le mène à la troisième personne.

1 **a.** À quelle personne le récit est-il mené? Le narrateur est-il personnage de l'histoire?
b. Montrez, en vous appuyant sur un pronom du premier paragraphe, que le narrateur se présente comme un témoin des faits racontés.

Le point de vue

Le point de vue est l'angle sous lequel le narrateur raconte ou donne à voir. Il peut adopter:
– un point de vue omniscient: il témoigne d'une connaissance parfaite des événements, des lieux, des personnages, de leurs pensées, de leur passé… fournissant ainsi de nombreuses informations au lecteur;
– le point de vue d'un personnage (point de vue interne) lorsqu'il raconte ou donne à voir au lecteur à travers le regard d'un personnage;
– un point de vue externe, lorsqu'il limite l'information à ce que pourrait voir un témoin extérieur (comme une caméra).
La narration est souvent faite selon un point de vue dominant, mais le narrateur peut alterner les points de vue dans une même page.

2 **a.** Selon quel point de vue dominant le narrateur mène-t-il le récit? Justifiez votre réponse à partir de quelques exemples.
b. Montrez que le narrateur joue avec les points de vue. Pour répondre, identifiez le point de vue adopté l. 173-174. Quel est l'effet produit?

Le cadre

Le naturalisme étudie le comportement d'hommes évoluant dans un cadre géographique et temporel précis.

3 **a.** Dans quelle région de France l'action se déroule-t-elle?

b. À quelle période de l'année et à quelle date ? Relevez des indices précis du texte qui vous permettent de répondre. Appuyez-vous aussi sur les notes.

c. Dans quel lieu précis l'action débute-t-elle (l. 1 à 7) ?

4 En quoi les cadres historique et géographique sont-ils des garanties de réalisme ?

L'action et l'ordre de la narration

L'ordre de la narration désigne l'ordre dans lequel les événements sont racontés. Ils sont le plus souvent racontés selon l'ordre chronologique, mais la plupart des récits présentent des retours en arrière. Le retour en arrière consiste à raconter un événement après le moment où il se situe dans l'histoire.

Le retour en arrière a différentes fonctions narratives : présenter un personnage, une situation…

5 **a.** Qui sont les trois personnages principaux, acteurs de l'action ?

b. Quel est l'âge de Françoise Merlier au moment des faits ?

6 Quel est l'événement célébré ?

7 **a.** Repérez les retours en arrière à partir de la ligne 92. À partir de quels indices les avez-vous repérés ?

b. Quels types d'informations le narrateur donne-t-il au lecteur par ces retours en arrière ?

Les personnages et leurs relations

Le père Merlier

8 **a.** Relevez les mots qui caractérisent le physique du père Merlier.

b. Quelles sont sa fonction sociale, sa situation familiale, sa situation financière ? Quelle relation a-t-il au travail ?

Françoise et Dominique

9 Relevez les notations qui décrivent le physique de Françoise. En quoi évolue-t-il ? Quel est son caractère ? Quels sont ses atouts ?

10 **a.** Quel type d'existence Dominique mène-t-il ? Quelle réputation a-t-il dans le pays ?

b. Relevez les termes ainsi que les deux comparaisons qui caractérisent son physique. Le portrait est-il flatteur ?

c. En quoi le personnage change-t-il ? Quelle est la cause de ce changement ?

11 Relevez les expressions qui montrent les sentiments qui lient Françoise et Dominique.

Le rythme de la narration : scène, sommaire, ellipse

> À l'intérieur de la narration, le narrateur procède à des accélérations et à des ralentissements. Ces variations participent au rythme du récit et permettent au narrateur de mettre en valeur telle ou telle scène.
>
> Le narrateur peut choisir de passer sous silence certains événements (ellipse), de les résumer (sommaire), ou de s'y attarder (scène) en fonction de l'intensité dramatique qu'il cherche à produire.

12 **a.** Quelle est la scène évoquée dès les premières lignes ? Quel jour a-t-elle lieu ? Repérez les lignes dans lesquelles le narrateur reprend et développe cette scène. Qui sont les personnages présents ? À quel moment de la journée la scène se termine-t-elle ?

b. Montrez, en citant le texte, que le narrateur, pour accélérer le rythme, procède à des sommaires au sein de cette scène.

13 Relevez dans l'extrait un exemple d'ellipse. Combien de jours sont passés sous silence ?

Le naturalisme zolien : réalisme et imaginaire

> Le naturalisme de Zola va au-delà de la simple peinture de la réalité : il revêt une dimension picturale et visionnaire et traduit une approche profondément poétique du monde.

La description du paysage et du moulin (l. 8 à 90)

14 Montrez que la description du paysage et du moulin s'apparente à un tableau. Pour répondre, relevez les termes qui structurent l'espace et les notations visuelles (formes et contours, lumières, couleurs).

15 **a.** Quelle est, dans la présentation de ce site, l'opposition que le narrateur met en lumière par l'emploi de la conjonction « mais » (l. 11) ?

b. Relevez jusqu'à la ligne 46 les termes qui traduisent l'immensité. Quel est l'effet produit ?

c. Quels sont les éléments naturels qui constituent ce paysage ? Quel est l'élément naturel qui lui donne vie ?

16 Relevez le lexique des sensations tactiles (notations de douceur, de chaleur, de fraîcheur…) et auditives (bruits). Quel est le champ lexical le plus abondant qui se dégage de ce relevé ?

17 Montrez, en relevant des notations précises, que la description fait référence aux quatre éléments (terre, eau, air, feu) et aux trois règnes (végétal, animal, minéral). Ces éléments sont-ils présentés comme étant en harmonie ?

18 Les indices de subjectivité

> Les indices de subjectivité sont l'ensemble des éléments qui, dans un énoncé, révèlent la présence de l'énonciateur (ou du narrateur). Celui-ci peut :
> – manifester son émotion, notamment par le choix d'un type de phrase ;
> – exprimer un jugement par le choix d'un lexique évaluatif, en utilisant par exemple des adjectifs comme « beau », « laid », « horrible »…

Relevez l. 8 à 90 les mots et expressions par lesquels le narrateur laisse transparaître le jugement qu'il porte sur ce paysage. Quel est-il ?

19 Comparaisons, métaphores, personnifications

> – La comparaison est une figure de style qui met en relation deux éléments, en vertu d'un point commun : l'élément comparé (que l'on compare) et l'élément comparant (auquel on compare). La mise en relation s'effectue à l'aide d'un outil de comparaison (comme, de même que…). Exemple : la mer est comme un miroir.
> – La métaphore est une figure de style qui met en relation deux éléments en vertu d'un point commun. Exemple : des flocons d'écume. L'écume, par sa légèreté, sa couleur, est assimilée à des flocons de neige.
> – La personnification est une forme de métaphore. Elle consiste à prêter des comportements ou des sentiments humains à des animaux ou à des choses.

a. Relevez les personnifications par lesquelles prennent vie les « eaux » et les ruisseaux (deuxième paragraphe), puis la roue du moulin et le moulin lui-même (quatrième paragraphe).

b. Relevez les comparaisons qui caractérisent le moulin.

20 Le jeu sur les sonorités : allitérations, assonances

> Les sonorités des mots, associées au sens, contribuent à produire un effet.
> L'allitération est la répétition de mêmes consonnes, l'assonance la répétition
> de mêmes voyelles.

Relevez les allitérations et assonances dans les expressions suivantes :
« Des bois épais, des futaies séculaires » (l. 15-16) ; « d'une mer de
verdure ; tandis que vers le midi » (l. 16-17) ; « le froid des feuillages
sous lesquels elle coule » (l. 22-23).

21 À partir de l'ensemble de vos réponses, dites quelle image le
narrateur donne de ce lieu.

La description du nocturne (l. 232 à 247)

22 Relevez la phrase dans laquelle le narrateur exprime son émotion
concernant la nuit qui suit les fiançailles. Quel est le type de phrases ?

23 Les symboles

> Un symbole est un élément de la réalité qui peut s'interpréter comme un signe
> d'autre chose. Exemple : la pluie, symbole de tristesse.

Montrez, en vous appuyant sur les personnifications, les comparaisons, le lexique, que le narrateur établit des correspondances entre
le village endormi et l'état intérieur des personnages. Pour quelle
raison peut-on parler de description symbolique ?

La visée et les hypothèses de lecture

> Identifier la visée d'un énoncé, c'est se demander quel effet l'énonciateur
> cherche à produire sur le destinataire. Les visées peuvent être diverses :
> provoquer une émotion, créer un effet d'attente, fournir des informations,
> faire peur, faire rire, dénoncer.

24 **a.** Montrez, en vous appuyant sur vos réponses, que toutes les
conditions de bonheur sont réunies au début de la nouvelle.
b. Le lecteur peut-il s'attendre à une suite heureuse ou malheureuse ?
Appuyez-vous sur le titre de la nouvelle, sur le contexte historique
évoqué, sur les indices que laissent transparaître les expressions
suivantes se référant au moulin : il « avait l'air d'une arche barbare »
(l. 64-65) ; il avait « un aspect d'ancienne citadelle démantelée » (l. 77).

II

Un mois plus tard, jour pour jour, juste la veille de la Saint-Louis, Rocreuse était dans l'épouvante. Les Prussiens avaient
250 battu l'empereur et s'avançaient à marches forcées vers le village. Depuis une semaine, des gens qui passaient sur la route annonçaient les Prussiens : « Ils sont à Lormière, ils sont à Novelles » ; et, à entendre dire qu'ils se rapprochaient si vite, Rocreuse, chaque matin, croyait les voir descendre par les bois
255 de Gagny. Ils ne venaient point cependant, cela effrayait davantage. Bien sûr qu'ils tomberaient sur le village pendant la nuit et qu'ils égorgeraient tout le monde.

La nuit précédente, un peu avant le jour, il y avait eu une alerte. Les habitants s'étaient réveillés, en entendant un grand
260 bruit d'hommes sur la route. Les femmes déjà se jetaient à genoux et faisaient des signes de croix, lorsqu'on avait reconnu des pantalons rouges[1], en entrouvrant prudemment les fenêtres. C'était un détachement français. Le capitaine avait tout de suite demandé le maire du pays, et il était resté au
265 moulin, après avoir causé avec le père Merlier.

Le soleil se levait gaiement, ce jour-là. Il ferait chaud, à midi. Sur les bois, une clarté blonde flottait, tandis que dans les fonds, au-dessus des prairies, montaient des vapeurs blanches. Le village, propre et joli, s'éveillait dans la fraîcheur, et la
270 campagne, avec sa rivière et ses fontaines, avait des grâces mouillées de bouquet. Mais cette belle journée ne faisait rire personne. On venait de voir le capitaine tourner autour du moulin, regarder les maisons voisines, passer de l'autre côté de la Morelle, et de là, étudier le pays avec une lorgnette ; le
275 père Merlier, qui l'accompagnait, semblait donner des explications. Puis, le capitaine avait posté des soldats derrière des

---

1. Soldats de l'armée française, désignés ainsi à cause des pantalons rouges de leur uniforme qui les rendaient facilement repérables.

murs, derrière des arbres, dans des trous. Le gros du détachement campait dans la cour du moulin. On allait donc se
battre ? Et quand le père Merlier revint, on l'interrogea. Il fit
280 un long signe de tête, sans parler. Oui, on allait se battre.

Françoise et Dominique étaient là, dans la cour, qui le regardaient. Il finit par ôter sa pipe de la bouche, et dit cette simple
phrase :

– Ah ! mes pauvres petits, ce n'est pas demain que je vous
285 marierai !

Dominique, les lèvres serrées, avec un pli de colère au front,
se haussait parfois, restait les yeux fixés sur les bois de Gagny,
comme s'il eût voulu voir arriver les Prussiens. Françoise, très
pâle, sérieuse, allait et venait, fournissant aux soldats ce dont
290 ils avaient besoin. Ils faisaient la soupe dans un coin de la cour,
et plaisantaient, en attendant de manger.

Cependant, le capitaine paraissait ravi. Il avait visité les
chambres et la grande salle du moulin donnant sur la rivière.
Maintenant, assis près du puits, il causait avec le père Merlier.
295 – Vous avez là une vraie forteresse[2], disait-il. Nous tiendrons
bien jusqu'à ce soir… Les bandits sont en retard. Ils devraient
être ici.

Le meunier restait grave. Il voyait son moulin flamber
comme une torche. Mais il ne se plaignait pas, jugeant cela
300 inutile. Il ouvrit seulement la bouche, pour dire :

– Vous devriez faire cacher la barque derrière la roue. Il y a
là un trou où elle tient… Peut-être qu'elle pourra servir.

Le capitaine donna un ordre. Ce capitaine était un bel
homme d'une quarantaine d'années, grand et de figure
305 aimable. La vue de Françoise et de Dominique semblait le
réjouir. Il s'occupait d'eux, comme s'il avait oublié la lutte
prochaine. Il suivait Françoise des yeux, et son air disait

---

2. Lieu fortifié que l'on ne peut attaquer.

clairement qu'il la trouvait charmante. Puis, se tournant vers Dominique :

310 — Vous n'êtes donc pas à l'armée, mon garçon ? lui demanda-t-il brusquement.

— Je suis étranger, répondit le jeune homme.

Le capitaine parut goûter[3] médiocrement cette raison. Il cligna les yeux et sourit. Françoise était plus agréable à 315 fréquenter que le canon. Alors, en le voyant sourire, Dominique ajouta :

— Je suis étranger, mais je loge une balle dans une pomme, à cinq cents mètres… Tenez, mon fusil de chasse est là, derrière vous.

320 — Il pourra vous servir, répliqua simplement le capitaine.

Françoise s'était approchée, un peu tremblante. Et, sans se soucier du monde qui était là, Dominique prit et serra dans les siennes les deux mains qu'elle lui tendait, comme pour se mettre sous sa protection. Le capitaine avait souri de nouveau, 325 mais il n'ajouta pas une parole. Il demeurait assis, son épée entre les jambes, les yeux perdus, paraissant rêver.

Il était déjà dix heures. La chaleur devenait très forte. Un lourd silence se faisait. Dans la cour, à l'ombre des hangars, les soldats s'étaient mis à manger la soupe. Aucun bruit ne 330 venait du village, dont les habitants avaient tous barricadé leurs maisons, portes et fenêtres. Un chien, resté seul sur la route, hurlait. Des bois et des prairies voisines, pâmés[4] par la chaleur, sortait une voix lointaine, prolongée, faite de tous les souffles épars[5]. Un coucou chanta. Puis, le silence s'élargit 335 encore.

Et, dans cet air endormi, brusquement, un coup de feu éclata. Le capitaine se leva vivement, les soldats lâchèrent leurs

3. Apprécier (sens figuré).
4. Ayant perdu connaissance, comme paralysés par une émotion ou une sensation très agréable. L'usage de ce verbe permet ici de personnifier la nature.
5. Dispersés.

assiettes de soupe, encore à moitié pleines. En quelques secondes, tous furent à leur poste de combat ; de bas en haut, le moulin se trouvait occupé. Cependant, le capitaine, qui s'était porté sur la route, n'avait rien vu ; à droite, à gauche, la route s'étendait, vide et toute blanche. Un deuxième coup de feu se fit entendre, et toujours rien, pas une ombre. Mais, en se retournant, il aperçut du côté de Gagny, entre deux arbres, un flocon de fumée qui s'envolait, pareil à un fil de la Vierge[6]. Le bois restait profond et doux.

– Les gredins se sont jetés dans la forêt, murmura-t-il. Ils nous savent ici.

Alors, la fusillade continua, de plus en plus nourrie, entre les soldats français, postés autour du moulin, et les Prussiens, cachés derrière les arbres. Les balles sifflaient au-dessus de la Morelle, sans causer de pertes ni d'un côté ni de l'autre. Les coups étaient irréguliers, partaient de chaque buisson ; et l'on n'apercevait toujours que les petites fumées, balancées mollement par le vent. Cela dura près de deux heures. L'officier chantonnait d'un air indifférent. Françoise et Dominique, qui étaient restés dans la cour, se haussaient et regardaient par-dessus une muraille basse. Ils s'intéressaient surtout à un petit soldat, posté au bord de la Morelle, derrière la carcasse d'un vieux bateau ; il était à plat ventre, guettait, lâchait son coup de feu, puis se laissait glisser dans un fossé, un peu en arrière, pour recharger son fusil ; et ses mouvements étaient si drôles, si rusés, si souples, qu'on se laissait aller à sourire en le voyant. Il dut apercevoir quelque tête de Prussien, car il se leva vivement et épaula[7] ; mais, avant qu'il eût tiré, il jeta un cri, tourna sur lui-même et roula dans le fossé, où ses jambes eurent un instant le raidissement convulsif des pattes d'un poulet qu'on

---

6. Fil de la toile d'une araignée des champs.
7. Appuya son fusil contre l'épaule.

égorge. Le petit soldat venait de recevoir une balle en pleine poitrine. C'était le premier mort. Instinctivement, Françoise
370 avait saisi la main de Dominique et la lui serrait, dans une crispation nerveuse.

– Ne restez pas là, dit le capitaine. Les balles viennent jusqu'ici.

En effet, un petit coup sec s'était fait entendre dans le vieil
375 orme, et un bout de branche tombait en se balançant. Mais les deux jeunes gens ne bougèrent pas, cloués par l'anxiété du spectacle. À la lisière du bois, un Prussien était brusquement sorti de derrière un arbre comme d'une coulisse, battant l'air de ses bras et tombant à la renverse. Et rien ne bougea plus,
380 les deux morts semblaient dormir au grand soleil, on ne voyait toujours personne dans la campagne alourdie. Le pétillement de la fusillade lui-même cessa. Seule, la Morelle chuchotait avec son bruit clair.

Le père Merlier regarda le capitaine d'un air de surprise,
385 comme pour lui demander si c'était fini.

– Voilà le grand coup, murmura celui-ci. Méfiez-vous. Ne restez pas là.

Il n'avait pas achevé qu'une décharge effroyable eut lieu. Le grand orme fut comme fauché, une volée de feuilles tournoya.
390 Les Prussiens avaient heureusement tiré trop haut. Dominique entraîna, emporta presque Françoise, tandis que le père Merlier les suivait, en criant :

– Mettez-vous dans le petit caveau, les murs sont solides.

Mais ils ne l'écoutèrent pas, ils entrèrent dans la grande salle,
395 où une dizaine de soldats attendaient en silence, les volets fermés, guettant par des fentes. Le capitaine était resté seul dans la cour, accroupi derrière la petite muraille, pendant que des décharges furieuses continuaient. Au-dehors, les soldats qu'il avait postés ne cédaient le terrain que pied à pied.
400 Pourtant, ils rentraient un à un en rampant, quand l'ennemi

les avait délogés de leurs cachettes. Leur consigne était de gagner du temps, de ne point se montrer, pour que les Prussiens ne pussent savoir quelles forces ils avaient devant eux. Une heure encore s'écoula. Et, comme un sergent arrivait, disant
405 qu'il n'y avait plus dehors que deux ou trois hommes, l'officier tira sa montre, en murmurant :

– Deux heures et demie… Allons, il faut tenir quatre heures.

Il fit fermer le grand portail de la cour, et tout fut préparé pour une résistance énergique. Comme les Prussiens se trou-
410 vaient de l'autre côté de la Morelle, un assaut immédiat n'était pas à craindre. Il y avait bien un pont à deux kilomètres, mais ils ignoraient sans doute son existence, et il était peu croyable qu'ils tenteraient de passer à gué[8] la rivière. L'officier fit donc simplement surveiller la route. Tout l'effort allait porter du
415 côté de la campagne.

La fusillade de nouveau avait cessé. Le moulin semblait mort sous le grand soleil. Pas un volet n'était ouvert, aucun bruit ne sortait de l'intérieur. Peu à peu, cependant, les Prussiens se montraient à la lisière du bois de Gagny. Ils allongeaient la
420 tête, s'enhardissaient. Dans le moulin, plusieurs soldats épaulaient déjà ; mais le capitaine cria :

– Non, non, attendez… Laissez-les s'approcher.

Ils y mirent beaucoup de prudence, regardant le moulin d'un air méfiant. Cette vieille demeure, silencieuse et morne[9], avec
425 ses rideaux de lierre, les inquiétait. Pourtant, ils avançaient. Quand ils furent une cinquantaine dans la prairie, en face, l'officier dit un seul mot :

– Allez !

Un déchirement se fit entendre, des coups isolés suivirent.
430 Françoise, agitée d'un tremblement, avait porté malgré elle

---

8. Endroit d'une rivière où le niveau est le plus bas. | **9.** Triste.

les mains à ses oreilles. Dominique, derrière les soldats, regardait ; et, quand la fumée se fut un peu dissipée, il aperçut trois Prussiens étendus sur le dos au milieu du pré. Les autres s'étaient jetés derrière les saules et les peupliers. Et le siège
435 commença.

Pendant plus d'une heure, le moulin fut criblé[10] de balles. Elles en fouettaient les vieux murs comme une grêle. Lorsqu'elles frappaient sur de la pierre, on les entendait s'écraser et retomber à l'eau. Dans le bois, elles s'enfonçaient
440 avec un bruit sourd. Parfois, un craquement annonçait que la roue venait d'être touchée. Les soldats, à l'intérieur, ménageaient leurs coups, ne tiraient que lorsqu'ils pouvaient viser. De temps à autre, le capitaine consultait sa montre. Et, comme une balle fendait un volet et allait se loger dans le plafond :
445   – Quatre heures, murmura-t-il. Nous ne tiendrons jamais.

Peu à peu, en effet, cette fusillade terrible ébranlait le vieux moulin. Un volet tomba à l'eau, troué comme une dentelle, et il fallut le remplacer par un matelas. Le père Merlier, à chaque instant, s'exposait pour constater les
450 avaries[11] de sa pauvre roue, dont les craquements lui allaient au cœur. Elle était bien finie cette fois ; jamais il ne pourrait la raccommoder. Dominique avait supplié Françoise de se retirer, mais elle voulait rester avec lui ; elle s'était assise derrière une grande armoire de chêne, qui la
455 protégeait. Une balle pourtant arriva dans l'armoire, dont les flancs rendirent un son grave. Alors, Dominique se plaça devant Françoise. Il n'avait pas encore tiré, il tenait son fusil à la main, ne pouvant approcher des fenêtres dont les soldats tenaient toute la largeur. À chaque décharge, le
460 plancher tressaillait.

– Attention ! Attention ! cria tout d'un coup le capitaine.

---

10. Troué.   11. Dégâts, dommages.

Il venait de voir sortir du bois toute une masse sombre. Aussitôt s'ouvrit un formidable feu de peloton. Ce fut comme une trombe[12] qui passa sur le moulin. Un autre volet partit, et par l'ouverture béante de la fenêtre, les balles entrèrent. Deux soldats roulèrent sur le carreau. L'un ne remua plus ; on le poussa contre le mur, parce qu'il encombrait. L'autre se tordit en demandant qu'on l'achevât ; mais on ne l'écoutait point, les balles entraient toujours, chacun se garait et tâchait de trouver une meurtrière pour riposter. Un troisième soldat fut blessé ; celui-là ne dit pas une parole, il se laissa couler au bord d'une table, avec des yeux fixes et hagards[13]. En face de ces morts, Françoise, prise d'horreur, avait repoussé machinalement sa chaise, pour s'asseoir à terre, contre le mur ; elle se croyait là plus petite et moins en danger. Cependant, on était allé prendre tous les matelas de la maison, on avait rebouché à moitié la fenêtre. La salle s'emplissait de débris, d'armes rompues, de meubles éventrés.

– Cinq heures, dit le capitaine. Tenez bon… Ils vont chercher à passer l'eau.

À ce moment, Françoise poussa un cri. Une balle, qui avait ricoché, venait de lui effleurer le front. Quelques gouttes de sang parurent. Dominique la regarda ; puis, s'approchant de la fenêtre, il lâcha son premier coup de feu, et il ne s'arrêta plus. Il chargeait, tirait, sans s'occuper de ce qui se passait près de lui ; de temps à autre seulement, il jetait un coup d'œil sur Françoise. D'ailleurs, il ne se pressait pas, visait avec soin. Les Prussiens, longeant les peupliers, tentaient le passage de la Morelle, comme le capitaine l'avait prévu ; mais, dès qu'un d'entre eux se hasardait, il tombait frappé à la tête par une balle de Dominique. Le capitaine, qui suivait ce jeu, était

---

12. Tornade, mouvement rapide de vent.　**13.** Dont l'expression est inquiétante, farouches.

émerveillé. Il complimenta le jeune homme, en lui disant qu'il serait heureux d'avoir beaucoup de tireurs de sa force. Dominique ne l'entendait pas. Une balle lui entama l'épaule, une autre lui contusionna le bras. Et il tirait toujours.

Il y eut deux nouveaux morts. Les matelas, déchiquetés, ne bouchaient plus les fenêtres. Une dernière décharge semblait devoir emporter le moulin. La position n'était plus tenable. Cependant, l'officier répétait :

— Tenez bon… Encore une demi-heure.

Maintenant, il comptait les minutes. Il avait promis à ses chefs d'arrêter l'ennemi là jusqu'au soir, et il n'aurait pas reculé d'une semelle avant l'heure qu'il avait fixée pour la retraite. Il gardait son air aimable, souriait à Françoise, afin de la rassurer. Lui-même venait de ramasser le fusil d'un soldat mort et faisait le coup de feu.

Il n'y avait plus que quatre soldats dans la salle. Les Prussiens se montraient en masse sur l'autre bord de la Morelle, et il était évident qu'ils allaient passer la rivière d'un moment à l'autre. Quelques minutes s'écoulèrent encore. Le capitaine s'entêtait, ne voulait pas donner l'ordre de la retraite, lorsqu'un sergent accourut, en disant :

— Ils sont sur la route, ils vont nous prendre par-derrière.

Les Prussiens devaient avoir trouvé le pont. Le capitaine tira sa montre.

— Encore cinq minutes, dit-il. Ils ne seront pas ici avant cinq minutes.

Puis, à six heures précises, il consentit[14] enfin à faire sortir ses hommes par une petite porte qui donnait sur une ruelle. De là, ils se jetèrent dans un fossé, ils gagnèrent la forêt de Sauval. Le capitaine avait, avant de partir, salué très poliment le père Merlier, en s'excusant. Et il avait même ajouté :

---

14. Accepta.

– Amusez-les… Nous reviendrons.

Cependant, Dominique était resté seul dans la salle. Il tirait
525 toujours, n'entendant rien, ne comprenant rien. Il n'éprouvait que le besoin de défendre Françoise. Les soldats étaient
partis, sans qu'il s'en doutât le moins du monde. Il visait et
tuait son homme à chaque coup. Brusquement, il y eut un
grand bruit. Les Prussiens, par-derrière, venaient d'envahir la
530 cour. Il lâcha un dernier coup, et ils tombèrent sur lui, comme
son fusil fumait encore.

Quatre hommes le tenaient. D'autres vociféraient[15] autour
de lui, dans une langue effroyable. Ils faillirent l'égorger tout
de suite. Françoise s'était jetée en avant, suppliante. Mais un
535 officier entra et se fit remettre le prisonnier. Après quelques
phrases qu'il échangea en allemand avec les soldats, il se tourna
vers Dominique et lui dit rudement, en très bon français :

– Vous serez fusillé dans deux heures.

III

C'était une règle posée par l'état-major[16] allemand : tout
540 Français n'appartenant pas à l'armée régulière et pris les armes
à la main devait être fusillé. Les compagnies franches[17] elles-
mêmes n'étaient pas reconnues comme belligérantes[18]. En
faisant ainsi de terribles exemples sur les paysans qui défendaient leurs foyers, les Allemands voulaient empêcher la levée
545 en masse, qu'ils redoutaient.

L'officier, un homme grand et sec, d'une cinquantaine d'années,
fit subir à Dominique un bref interrogatoire. Bien qu'il parlât
le français très purement, il avait une raideur toute prussienne.

---

15. Criaient, hurlaient.
16. Commandement.

17. Troupes ne faisant pas partie des
unités combattantes régulières.
18. Participant à la guerre et appartenant
à l'armée régulière.

– Vous êtes de ce pays ?

550　– Non, je suis belge.

– Pourquoi avez-vous pris les armes ?… Tout ceci ne doit pas vous regarder.

Dominique ne répondit pas. À ce moment, l'officier aperçut Françoise debout et très pâle, qui écoutait ; sur son front blanc,
555　sa légère blessure mettait une barre rouge. Il regarda les jeunes gens l'un après l'autre, parut comprendre, et se contenta d'ajouter :

– Vous ne niez pas avoir tiré ?

– J'ai tiré tant que j'ai pu, répondit tranquillement
560　Dominique.

Cet aveu[19] était inutile, car il était noir de poudre, couvert de sueur, taché de quelques gouttes de sang qui avaient coulé de l'éraflure de son épaule.

– C'est bien, répéta l'officier. Vous serez fusillé dans deux
565　heures.

Françoise ne cria pas. Elle joignit les mains et les éleva dans un geste de muet désespoir. L'officier remarqua ce geste. Deux soldats avaient emmené Dominique dans une pièce voisine, où ils devaient le garder à vue. La jeune fille était tombée sur
570　une chaise, les jambes brisées ; elle ne pouvait pleurer, elle étouffait. Cependant, l'officier l'examinait toujours. Il finit par lui adresser la parole :

– Ce garçon est votre frère ? demanda-t-il.

Elle dit non de la tête. Il resta raide, sans un sourire. Puis,
575　au bout d'un silence :

– Il habite le pays depuis longtemps ?

Elle dit oui, d'un nouveau signe.

– Alors il doit très bien connaître les bois voisins ?

Cette fois, elle parla.

<hr>

19. Reconnaissance de sa faute.

580 — Oui, monsieur, dit-elle en le regardant avec quelque surprise.

Il n'ajouta rien et tourna sur ses talons, en demandant qu'on lui amenât le maire du village. Mais Françoise s'était levée, une légère rougeur au visage, croyant avoir saisi le but de ses questions et reprise d'espoir. Ce fut elle-même qui courut pour 585 trouver son père.

Le père Merlier, dès que les coups de feu avaient cessé, était vivement descendu par la galerie de bois, pour visiter sa roue. Il adorait sa fille, il avait une solide amitié pour Dominique, son futur gendre ; mais sa roue tenait aussi une large place 590 dans son cœur. Puisque les deux petits, comme il les appelait, étaient sortis sains et saufs de la bagarre, il songeait à son autre tendresse, qui avait singulièrement souffert, celle-là. Et, penché sur la grande carcasse de bois, il en étudiait les blessures d'un air navré. Cinq palettes étaient en miettes, la charpente centrale 595 était criblée. Il fourrait les doigts dans les trous des balles, pour en mesurer la profondeur ; il réfléchissait à la façon dont il pourrait réparer toutes ces avaries. Françoise le trouva qui bouchait déjà des fentes avec des débris et de la mousse.

— Père, dit-elle, ils vous demandent.

600 Et elle pleura enfin, en lui contant ce qu'elle venait d'entendre. Le père Merlier hocha la tête. On ne fusillait pas les gens comme ça. Il fallait voir. Et il rentra dans le moulin, de son air silencieux et paisible. Quand l'officier lui eut demandé des vivres[20] pour ses hommes, il répondit que les gens de 605 Rocreuse n'étaient pas habitués à être brutalisés, et qu'on n'obtiendrait rien d'eux si l'on employait la violence. Il se chargeait de tout, mais à la condition qu'on le laissât agir seul. L'officier parut se fâcher d'abord de ce ton tranquille ; puis, il céda, devant les paroles brèves et nettes du vieillard. Même 610 il le rappela, pour lui demander :

| **20.** Nourriture.

– Ces bois-là, en face, comment les nommez-vous ?

– Les bois de Sauval.

– Et quelle est leur étendue ?

Le meunier le regarda fixement.

615 – Je ne sais pas, répondit-il.

Et il s'éloigna. Une heure plus tard, la contribution de guerre en vivres et en argent, réclamée par l'officier, était dans la cour du moulin. La nuit venait, Françoise suivait avec anxiété les mouvements des soldats. Elle ne s'éloignait pas de la pièce 620 dans laquelle était enfermé Dominique. Vers sept heures, elle eut une émotion poignante ; elle vit l'officier entrer chez le prisonnier, et, pendant un quart d'heure, elle entendit leurs voix qui s'élevaient. Un instant, l'officier reparut sur le seuil pour donner un ordre en allemand, qu'elle ne comprit pas ; 625 mais, lorsque douze hommes furent venus se ranger dans la cour, le fusil au bras, un tremblement la saisit, elle se sentit mourir. C'en était donc fait ; l'exécution allait avoir lieu. Les douze hommes restèrent là dix minutes, la voix de Dominique continuait à s'élever sur un ton de refus violent. Enfin, l'offi-630 cier sortit, en fermant brutalement la porte et en disant :

– C'est bien, réfléchissez… Je vous donne jusqu'à demain matin.

Et, d'un geste, il fit rompre[21] les rangs aux douze hommes. Françoise restait hébétée. Le père Merlier, qui avait continué 635 de fumer sa pipe, en regardant le peloton[22] d'un air simplement curieux, vint la prendre par le bras, avec une douceur paternelle. Il l'emmena dans sa chambre.

– Tiens-toi tranquille, lui dit-il, tâche de dormir… Demain, il fera jour, et nous verrons.

640 En se retirant, il l'enferma par prudence. Il avait pour principe que les femmes ne sont bonnes à rien, et qu'elles gâtent

---

21. Se disperser.   22. Petit groupe de soldats.

tout, lorsqu'elles s'occupent d'une affaire sérieuse. Cependant, Françoise ne se coucha pas. Elle demeura longtemps assise sur son lit, écoutant les rumeurs[23] de la maison. Les soldats alle-
mands, campés dans la cour, chantaient et riaient ; ils durent manger et boire jusqu'à onze heures, car le tapage ne cessa pas un instant. Dans le moulin même, des pas lourds réson-naient de temps à autre, sans doute des sentinelles qu'on rele-vait. Mais, ce qui l'intéressait surtout, c'étaient les bruits qu'elle pouvait saisir dans la pièce qui se trouvait sous sa chambre. Plusieurs fois elle se coucha par terre, elle appliqua son oreille contre le plancher. Cette pièce était justement celle où l'on avait enfermé Dominique. Il devait marcher du mur à la fenêtre, car elle entendit longtemps la cadence régulière de sa promenade ; puis, il se fit un grand silence, il s'était sans doute assis. D'ailleurs, les rumeurs cessaient, tout s'endormait. Quand la maison lui parut s'assoupir, elle ouvrit sa fenêtre le plus doucement possible, elle s'accouda.

Au-dehors, la nuit avait une sérénité[24] tiède. Le mince crois-sant de la lune, qui se couchait derrière les bois de Sauval, éclairait la campagne d'une lueur de veilleuse. L'ombre allongée des grands arbres barrait de noir les prairies, tandis que l'herbe, aux endroits découverts, prenait une douceur de velours verdâtre. Mais Françoise ne s'arrêtait guère au charme mysté-rieux de la nuit. Elle étudiait la campagne, cherchant les senti-nelles que les Allemands avaient dû poster de ce côté. Elle voyait parfaitement leurs ombres s'échelonner le long de la Morelle. Une seule se trouvait devant le moulin, de l'autre côté de la rivière, près d'un saule dont les branches trempaient dans l'eau. Françoise la distinguait parfaitement. C'était un grand garçon qui se tenait immobile, la face tournée vers le ciel, de l'air rêveur d'un berger.

| **23.** Bruits confus, assourdis. | **24.** Calme agréable.

Alors, quand elle eut ainsi inspecté les lieux avec soin, elle revint s'asseoir sur son lit. Elle y resta une heure, profondé-
675 ment absorbée. Puis elle écouta de nouveau : la maison n'avait plus un souffle. Elle retourna à la fenêtre, jeta un coup d'œil ; mais sans doute une des cornes de la lune qui apparaissait encore derrière les arbres lui parut gênante, car elle se remit à attendre. Enfin, l'heure lui sembla venue. La nuit était toute
680 noire, elle n'apercevait plus la sentinelle en face, la campagne s'étalait comme une mare d'encre. Elle tendit l'oreille un instant et se décida. Il y avait là, passant près de la fenêtre, une échelle de fer, des barres scellées dans le mur, qui montait de la roue au grenier, et qui servait autrefois aux meuniers pour visiter
685 certains rouages[25] ; puis, le mécanisme avait été modifié, depuis longtemps l'échelle disparaissait sous les lierres épais qui couvraient ce côté du moulin.

Françoise, bravement, enjamba la balustrade de sa fenêtre, saisit une des barres de fer et se trouva dans le vide. Elle
690 commença à descendre. Ses jupons l'embarrassaient beau-coup. Brusquement, une pierre se détacha de la muraille et tomba dans la Morelle avec un rejaillissement sonore. Elle s'était arrêtée, glacée d'un frisson. Mais elle comprit que la chute d'eau, de son ronflement continu, couvrait à distance
695 tous les bruits qu'elle pouvait faire, et elle descendit alors plus hardiment, tâtant le lierre du pied, s'assurant des échelons. Lorsqu'elle fut à la hauteur de la chambre qui servait de prison à Dominique, elle s'arrêta. Une difficulté imprévue faillit lui faire perdre tout son courage : la fenêtre de la pièce du bas
700 n'était pas régulièrement percée au-dessous de la fenêtre de sa chambre, elle s'écartait de l'échelle, et lorsqu'elle allongea la main, elle ne rencontra que la muraille. Lui faudrait-il donc remonter, sans pousser son projet jusqu'au bout ? Ses bras se

---

25. Ensemble ou chacune des roues qui font partie d'un mécanisme.

lassaient, le murmure de la Morelle, au-dessous d'elle,
705 commençait à lui donner des vertiges. Alors, elle arracha du
mur de petits fragments de plâtre et les lança dans la fenêtre
de Dominique. Il n'entendait pas, peut-être dormait-il. Elle
émietta encore la muraille, elle s'écorchait les doigts. Et elle
était à bout de force, elle se sentait tomber à la renverse, lorsque
710 Dominique ouvrit enfin doucement.

– C'est moi, murmura-t-elle. Prends-moi vite, je tombe.

C'était la première fois qu'elle le tutoyait. Il la saisit, en se
penchant, et l'apporta dans la chambre. Là, elle eut une crise
de larmes, étouffant ses sanglots, pour qu'on ne l'entendît pas.
715 Puis, par un effort suprême, elle se calma.

– Vous êtes gardé ? demanda-t-elle à voix basse.

Dominique, encore stupéfait de la voir ainsi, fit un simple
signe, en montrant sa porte. De l'autre côté, on entendait un
ronflement ; la sentinelle, cédant au sommeil, avait dû se
720 coucher par terre, contre la porte, en se disant que, de cette
façon, le prisonnier ne pouvait bouger.

– Il faut fuir, reprit-elle vivement. Je suis venue pour vous
supplier de fuir et pour vous dire adieu.

Mais lui ne paraissait pas l'entendre. Il répétait :
725 – Comment, c'est vous, c'est vous... Oh ! que vous m'avez
fait peur ! Vous pouviez vous tuer.

Il lui prit les mains, il les baisa.

– Que je vous aime, Françoise !... Vous êtes aussi courageuse
que bonne. Je n'avais qu'une crainte, c'était de mourir sans
730 vous avoir revue... Mais vous êtes là, et maintenant ils peuvent
me fusiller. Quand j'aurai passé un quart d'heure avec vous,
je serai prêt.

Peu à peu, il l'avait attirée à lui, et elle appuyait sur sa tête
son épaule. Le danger les rapprochait. Ils oubliaient tout dans
735 cette étreinte.

– Ah! Françoise, reprit Dominique d'une voix caressante, c'est aujourd'hui la Saint-Louis, le jour si longtemps attendu de notre mariage. Rien n'a pu nous séparer, puisque nous voilà tous les deux seuls, fidèles au rendez-vous… N'est-ce pas ?
740 c'est à cette heure le matin des noces.

– Oui, oui, répéta-t-elle, le matin des noces.

Ils échangèrent un baiser en frissonnant. Mais, tout d'un coup, elle se dégagea, la terrible réalité se dressait devant elle.

– Il faut fuir, il faut fuir, bégaya-t-elle. Ne perdons pas une
745 minute.

Et comme il tendait les bras dans l'ombre pour la reprendre, elle le tutoya de nouveau :

– Oh! je t'en prie, écoute-moi… Si tu meurs, je mourrai. Dans une heure, il fera jour. Je veux que tu partes tout de suite.
750 Alors, rapidement, elle expliqua son plan. L'échelle de fer descendait jusqu'à la roue ; là, il pourrait s'aider des palettes et entrer dans la barque qui se trouvait dans un enfoncement. Il lui serait facile ensuite de gagner l'autre bord de la rivière et de s'échapper.

755 – Mais il doit y avoir des sentinelles ? dit-il.

– Une seule, en face, au pied du premier saule.

– Et si elle m'aperçoit, si elle veut crier ?

Françoise frissonna. Elle lui mit dans la main un couteau qu'elle avait descendu. Il y eut un silence.

760 – Et votre père, et vous ? reprit Dominique. Mais non, je ne puis fuir… Quand je ne serai plus là, ces soldats vous massacreront peut-être… Vous ne les connaissez pas. Ils m'ont proposé de me faire grâce[26], si je consentais à les guider dans la forêt de Sauval. Lorsqu'ils ne me trouveront plus, ils sont
765 capables de tout.

La jeune fille ne s'arrêta pas à discuter. Elle répondit simplement à toutes les raisons qu'il donnait :

| **26.** Dispenser quelqu'un d'être tué.

– Par amour pour moi, fuyez… Si vous m'aimez, Dominique,
ne restez pas ici une minute de plus.

770 Puis, elle promit de remonter dans sa chambre. On ne saurait
pas qu'elle l'avait aidé. Elle finit par le prendre dans ses bras,
par l'embrasser, pour le convaincre, avec un élan de passion extraordinaire. Lui, était vaincu. Il ne posa plus qu'une question.

– Jurez-moi que votre père connaît votre démarche et qu'il
775 me conseille la fuite ?

– C'est mon père qui m'a envoyée, répondit hardiment Françoise.

Elle mentait. Dans ce moment, elle n'avait qu'un besoin
immense, le savoir en sûreté, échapper à cette abominable
pensée que le soleil allait être le signal de sa mort. Quand il
780 serait loin, tous les malheurs pouvaient fondre sur elle ; cela
lui paraîtrait doux, du moment où il vivrait. L'égoïsme de sa
tendresse le voulait vivant, avant toutes choses.

– C'est bien, dit Dominique, je ferai comme il vous plaira.

Alors, ils ne parlèrent plus. Dominique alla rouvrir la fenêtre.
785 Mais, brusquement, un bruit les glaça. La porte fut ébranlée,
et ils crurent qu'on l'ouvrait. Évidemment, une ronde avait
entendu leurs voix. Et tous deux debout, serrés l'un contre
l'autre, attendaient dans une angoisse indicible[27]. La porte fut
de nouveau secouée ; mais elle ne s'ouvrit pas. Ils eurent chacun
790 un soupir étouffé ; ils venaient de comprendre, ce devait être
le soldat couché en travers du seuil, qui s'était retourné. En
effet, le silence se fit, les ronflements recommencèrent.

Dominique voulut absolument que Françoise remontât
d'abord chez elle. Il la prit dans ses bras, il lui dit un muet
795 adieu. Puis, il l'aida à saisir l'échelle et se cramponna à son
tour. Mais il refusa de descendre un seul échelon avant de la
savoir dans sa chambre. Quand Françoise fut rentrée, elle
laissa tomber d'une voix légère comme un souffle :

27. Qu'il est impossible de décrire avec des mots.

— Au revoir, je t'aime !

800   Elle resta accoudée, elle tâcha de suivre Dominique. La nuit était toujours très noire. Elle chercha la sentinelle et ne l'aperçut pas ; seul, le saule faisait une tache pâle, au milieu des ténèbres. Pendant un instant, elle entendit le frôlement du corps de Dominique le long du lierre. Ensuite la roue craqua, et il y eut

805 un léger clapotement qui lui annonça que le jeune homme venait de trouver la barque. Une minute plus tard, en effet, elle distingua la silhouette sombre de la barque sur la nappe grise de la Morelle. Alors, une angoisse terrible la reprit à la gorge. À chaque instant, elle croyait entendre le cri d'alarme

810 de la sentinelle ; les moindres bruits, épars dans l'ombre, lui semblaient des pas précipités[28] de soldats, des froissements d'armes, des bruits de fusils qu'on armait. Pourtant, les secondes s'écoulaient, la campagne gardait sa paix souveraine. Dominique devait aborder à l'autre rive. Françoise ne voyait

815 plus rien. Le silence était majestueux. Et elle entendit un piétinement, un cri rauque[29], la chute sourde d'un corps. Puis, le silence se fit plus profond. Alors, comme si elle eût senti la mort passer, elle resta toute froide, en face de l'épaisse nuit.

à suivre…

« Les dernières cartouches », par Alphonse de Neuville (1836-1885).

28. Rapides.
29. Rude et comme enroué.

Repérer et analyser

Le rythme de la narration

> On appelle rythme de la narration le rapport entre le temps de l'histoire (la durée fictive des événements racontés, comptée en années, mois, jours, heures…) et le temps du récit (compté en lignes ou en pages). Le narrateur peut accélérer ou ralentir le rythme du récit.

1 Relevez l'ellipse qui ouvre le chapitre 2. Quelle est sa durée ? Pour quelle raison, selon vous, le narrateur passe-t-il sous silence cette période ?

2 a. Dans le chapitre 2, l'action se déroule la veille de la Saint-Louis. Quel est l'événement qui devait précisément être fêté le jour de la Saint-Louis ?

b. Quel jour et à quel moment de la journée les événements se déroulent-ils au chapitre 3 ?

3 a. Quels sont les événements racontés dans chacun des deux chapitres ?

b. Montrez que le narrateur ralentit le rythme du récit. Appuyez-vous sur le nombre de lignes (approximatif) consacré au récit des événements et sur le temps écoulé. Quelle est la scène longuement développée dans le chapitre 3 ? Répondez sous forme de tableau.

4 a. Montrez à partir d'exemples que, au sein de chacun des chapitres, le narrateur procède cependant à des accélérations. Pour répondre, relevez quelques exemples de sommaire et d'ellipse. La durée passée sous silence est-elle longue ?

b. Pour quelle raison le narrateur procède-t-il à ces ralentissements et à ces accélérations ?

La progression de l'action

La structure dramatique

5 a. Quel est, dans le chapitre 2, l'événement qui survient et qui déclenche l'action ?

b. En quoi la situation s'aggrave-t-elle dans le chapitre 3 ?

Les effets d'annonce

Dans une œuvre littéraire, on trouve parfois certains thèmes ou motifs repris en écho : ils peuvent fonctionner comme des signaux ou effets d'annonce au sein de l'œuvre.

6 « [...] un petit coup sec s'était fait entendre dans le vieil orme, et un bout de branche tombait en se balançant » (l. 374-375) ; « Le grand orme fut comme fauché, une volée de feuilles tournoya » (l. 388-389) : en quoi l'atteinte au vieil orme est-elle un signal ?

Les forces en présence

7 **a.** Quelle est la position des troupes au début du chapitre 2 ?
b. Pour quelle raison le capitaine français s'installe-t-il dans le moulin ? Quels avantages le moulin présente-t-il à ses yeux ?
c. Relevez la phrase qui marque l'arrivée des soldats prussiens.
d. Qui sont les premières victimes ? À l'avantage de qui le combat tourne-t-il ? À quel moment le capitaine français quitte-t-il le moulin ? Pour quelle raison ?
8 Quelle décision l'officier prussien prend-il concernant Dominique ? Pour quelle raison ?

La présence du narrateur

9 Relevez un commentaire au début du chapitre 3 dans lequel le narrateur donne une explication (vous direz sur quoi) et dans lequel il commente les paroles d'un personnage.
10 Quel est l'intérêt de ces interventions ? Quel lien le narrateur crée-t-il avec le lecteur ?

Les effets de suspense

Dans un film, un spectacle, un roman, un récit, le suspense est un état d'attente angoissée de ce qui va se produire.

11 Analysez les éléments qui créent le suspense.
a. Les indications temporelles : montrez à partir d'exemples qu'elles sont nombreuses dans les chapitres 2 et 3. En quoi contribuent-elles au suspense ?

b. Les verbes d'action : relevez quelques exemples de verbes d'action. À quel temps sont-ils ? Quel effet produit leur nombre ?

c. Les effets de tension et de détente : dans le chapitre 3, à quels moments le lecteur a-t-il peur pour Dominique et pour Françoise ? Quels différents dangers ces personnages courent-ils ? Montrez à partir d'exemples que le narrateur alterne les moments de tension et de détente.

d. L'utilisation du point de vue interne (voir la leçon, p. 17) : repérez dans le chapitre 3, l. 620 à 666, et dans le dernier paragraphe les passages dans lesquels le narrateur passe du point de vue omniscient au point de vue interne. À travers le regard et la conscience de quel personnage mène-t-il le récit dans ces passages ? Quelles perceptions visuelles et auditives arrivent à la conscience du personnage ? Quel est l'effet produit sur le lecteur ?

Les personnages et leurs relations

Le capitaine français

12 Relevez la phrase dans laquelle le narrateur décrit le physique du capitaine (chapitre 2). Quelle image donne-t-il de lui ?

13 **a.** Lors de son arrivée au moulin, quel regard le capitaine porte-t-il sur Françoise et sur Dominique ? Montrez que le regard qu'il porte sur Dominique évolue. Pour quelle raison ?

b. Pour quelle raison le capitaine reste-t-il dans le moulin et ne bat-il pas retraite ? Qu'a-t-il promis à ses chefs ?

c. « Amusez-les… nous reviendrons » (l. 523) : quel sens donnez-vous à cette phrase ? De quelle façon le capitaine français considère-t-il les habitants du moulin ?

L'officier prussien

14 En quoi la présentation que fait le narrateur, au chapitre 3, de l'officier prussien peut-elle être rapprochée de celle du capitaine français ? L'image qui est donnée des personnages est-elle la même ?

Le père Merlier

15 **a.** Comment le père Merlier se comporte-t-il à l'arrivée des soldats français ? Durant l'attaque ? Face à l'officier prussien ?

b. Quels sentiments éprouve-t-il envers sa fille ? Envers Dominique ? À quoi tient-il particulièrement ?

Le parcours de Françoise et de Dominique

16 **a.** Quel est le comportement de Dominique à l'égard de Françoise au début du siège ? Citez le texte.

b. À partir de quel moment commence-t-il à tirer ? Pourquoi ? Se révèle-t-il un bon tireur ? Quelle est la valeur des imparfaits l. 487 à 495 ?

17 **a.** Au début du siège, Dominique supplie Françoise de se retirer. Accepte-t-elle ?

b. Quel exploit Françoise accomplit-elle (chapitre 3) ? Au nom de quoi ?

c. Quel mensonge fait-elle à Dominique ? Pour quelle raison ment-elle ?

d. En quoi peut-on dire que pour les deux personnages l'amour est plus fort que la mort ?

Le naturalisme zolien

La dramatisation du réel

18 L'antithèse

> L'antithèse (opposition) est un principe d'organisation et une figure privilégiée dans l'œuvre de Zola. Les effets de contraste contribuent à mettre en lumière une situation, un état.

a. Relevez l. 327 à 355 les termes qui évoquent le silence ou des bruits imperceptibles et la phrase dans laquelle, par antithèse, le narrateur signale le premier coup de feu.

b. Quel effet a-t-il cherché à produire ?

19 L'utilisation des champs lexicaux : montrez à partir d'exemples que, dans le chapitre 2, les champs lexicaux de la guerre, de la violence et du bruit construisent le sens du texte. Quel est l'effet produit ?

20 L'évocation de la mort : relisez le passage du chapitre 2 dans lequel le narrateur évoque la mort du petit soldat (l. 358 à 371) puis celui des lignes 462 à 472 : en quoi l'évocation de la mort est-elle réaliste ? Quel est l'effet produit sur le lecteur ?

21 Les effets d'amplification : montrez, en citant le texte, que le nombre des morts va en s'amplifiant au fur et à mesure du combat.

L'esthétique visionnaire

22 La personnification de la roue

> Parfois, chez un même auteur, les mêmes motifs se retrouvent d'une œuvre à l'autre ; ils sont alors l'expression de l'univers personnel de l'auteur. La personnification de la machine est un motif privilégié de l'univers de Zola.

Relevez dans les chapitres 2 et 3 les passages dans lesquels la roue est personnifiée. Quels sentiments le père Merlier éprouve-t-il pour « sa » roue ? Quel est l'effet produit ?

Les hypothèses de lecture

23 Quelle est la situation de Françoise et de Dominique à la fin des deux chapitres ? Quel risque chacun d'eux court-il ? À quelle suite le lecteur peut-il s'attendre ? Quel événement est suggéré à la fin du chapitre 3 ? Que peut imaginer le lecteur ?

La visée

Le registre pathétique

> On entend par registre la tonalité d'un texte, les émotions et sentiments qu'il suscite. Le registre pathétique cherche à susciter chez le lecteur de la tristesse et de la pitié en présentant une situation douloureuse.

24 Quels sont les éléments qui sont particulièrement pathétiques dans ce passage ?

La visée argumentative : raconter pour dénoncer

25 **a.** Quel est le but de la mission des soldats français ? Est-il de défendre les populations civiles ? Justifiez votre réponse en vous appuyant sur des références précises.
b. Quelle image Zola donne-t-il de la guerre, de ses violences, des forces armées ?

Les valeurs mises en avant

26 De quoi les personnages sont-ils capables par amour ? En quoi l'amour est-il une valeur ?

Écrire

Passer du style indirect libre au style direct

27 Relisez les lignes 601 à 607. De quels personnages le narrateur rapporte-t-il les paroles ? Identifiez les paroles rapportées au style indirect et celles rapportées au style indirect libre, puis récrivez ce passage en transformant les paroles des personnages au style direct. Vous effectuerez les modifications qui s'imposent.

Lire

28 La description du petit soldat (l. 358 à 371) rappelle le poème d'Arthur Rimbaud, « Le Dormeur du val », contemporain des événements relatés ici. Cherchez ce poème et lisez-le.

« Épisode de la guerre de 1870 ».
Peinture par Alphonse de Neuville.

IV

Dès le petit jour, des éclats de voix ébranlèrent[1] le moulin. Le père Merlier était venu ouvrir la porte de Françoise. Elle descendit dans la cour, pâle et très calme. Mais là, elle ne put réprimer un frisson, en face du cadavre d'un soldat prussien, qui était allongé près du puits, sur un manteau étalé.

Autour du corps, des soldats gesticulaient, criaient sur un ton de fureur. Plusieurs d'entre eux montraient les poings au village. Cependant, l'officier venait de faire appeler le père Merlier, comme maire de la commune.

– Voici, lui dit-il d'une voix étranglée par la colère, un de nos hommes que l'on a trouvé assassiné sur le bord de la rivière… Il nous faut un exemple éclatant, et je compte que vous allez nous aider à découvrir le meurtrier.

– Tout ce que vous voudrez, répondit le meunier avec son flegme[2]. Seulement, ce ne sera pas commode.

L'officier s'était baissé pour écarter un pan du manteau, qui cachait la figure du mort. Alors apparut une horrible blessure. La sentinelle avait été frappée à la gorge, et l'arme était restée dans la plaie. C'était un couteau de cuisine à manche noir.

– Regardez ce couteau, dit l'officier au père Merlier, peut-être nous aidera-t-il dans nos recherches.

Le vieillard avait eu un tressaillement. Mais il se remit aussitôt, il répondit, sans qu'un muscle de sa face bougeât :

– Tout le monde a des couteaux pareils, dans nos campagnes… Peut-être que votre homme s'ennuyait de se battre et qu'il se sera fait son affaire lui-même. Ça se voit.

– Taisez-vous ! cria furieusement l'officier. Je ne sais ce qui me retient de mettre le feu aux quatre coins du village.

---

1. Agitèrent, secouèrent.
2. Caractère d'un homme calme, impassible.

La colère heureusement l'empêchait de remarquer la profonde altération[3] du visage de Françoise. Elle avait dû s'asseoir sur le banc de pierre, près du puits. Malgré elle, ses
850 regards ne quittaient plus ce cadavre, étendu à terre, presque à ses pieds. C'était un grand et beau garçon, qui ressemblait à Dominique, avec des cheveux blonds et des yeux bleus. Cette ressemblance lui retournait le cœur. Elle pensait que le mort avait peut-être laissé là-bas, en Allemagne, quelque amou-
855 reuse qui allait pleurer. Et elle reconnaissait son couteau dans la gorge du mort. Il l'avait tué.

Cependant, l'officier parlait de frapper Rocreuse de mesures terribles, lorsque des soldats accoururent. On venait de s'apercevoir seulement de l'évasion de Dominique. Cela causa une
860 agitation extrême. L'officier se rendit sur les lieux, regarda par la fenêtre laissée ouverte, comprit tout, et revint exaspéré.

Le père Merlier parut très contrarié de la fuite de Dominique.

– L'imbécile ! murmura-t-il, il gâte tout.

Françoise, qui l'entendit, fut prise d'angoisse. Son père,
865 d'ailleurs, ne soupçonnait pas sa complicité. Il hocha la tête, en lui disant à demi-voix :

– À présent, nous voilà propres !

– C'est ce gredin ! c'est ce gredin ! criait l'officier. Il aura gagné les bois… Mais il faut qu'on nous le retrouve, ou le
870 village paiera pour lui.

Et, s'adressant au meunier :

– Voyons, vous devez savoir où il se cache ?

Le père Merlier eut son rire silencieux, en montrant la large étendue des coteaux boisés.
875 – Comment voulez-vous trouver un homme là-dedans ? dit-il.

– Oh ! il doit y avoir des trous que vous connaissez. Je vais vous donner dix hommes. Vous les guiderez.

| **3.** Changement défavorable, modification de l'état normal.

– Je veux bien. Seulement, il nous faudra huit jours pour
380 battre tous les bois des environs.

La tranquillité du vieillard enrageait l'officier. Il comprenait
en effet le ridicule de cette battue. Ce fut alors qu'il aperçut
sur le banc Françoise pâle et tremblante. L'attitude anxieuse
de la jeune fille le frappa. Il se tut un instant, examinant tour
385 à tour le meunier et Françoise.

– Est-ce que cet homme, finit-il par demander brutalement
au vieillard, n'est pas l'amant de votre fille ?

Le père Merlier devint livide[4], et l'on put croire qu'il allait
se jeter sur l'officier pour l'étrangler. Il se raidit, il ne répondit
390 pas. Françoise avait mis son visage entre ses mains.

– Oui, c'est cela, continua le Prussien, vous ou votre fille
l'avez aidé à fuir. Vous êtes son complice... Une dernière fois,
voulez-vous nous le livrer ?

Le meunier ne répondit pas. Il s'était détourné, regardant
395 au loin d'un air indifférent, comme si l'officier ne s'adressait
pas à lui. Cela mit le comble à la colère de ce dernier.

– Eh bien ! déclara-t-il, vous allez être fusillé à sa place.

Et il commanda une fois encore le peloton d'exécution[5]. Le
père Merlier garda son flegme. Il eut à peine un léger hausse-
400 ment d'épaules, tout ce drame lui semblait d'un goût médiocre.
Sans doute il ne croyait pas qu'on fusillât un homme si aisément. Puis, quand le peloton fut là, il dit avec gravité :

– Alors, c'est sérieux ?... Je veux bien. S'il vous en faut un
absolument, moi autant qu'un autre.

405 Mais Françoise s'était levée, affolée, bégayant :

– Grâce, monsieur, ne faites pas du mal à mon père. Tuez-
moi à sa place... C'est moi qui ai aidé Dominique à fuir. Moi
seule suis coupable.

---

4. Très pâle, blême.
5. Groupe de soldats chargés de fusiller un condamné.

– Tais-toi, fillette, s'écria le père Merlier. Pourquoi mens-
910 tu ?… Elle a passé la nuit enfermée dans sa chambre, monsieur.
Elle ment, je vous assure.

– Non, je ne mens pas, reprit ardemment la jeune fille. Je
suis descendue par la fenêtre, j'ai poussé Dominique à s'en-
fuir… C'est la vérité, la seule vérité…

915 Le vieillard était devenu très pâle. Il voyait bien dans ses
yeux qu'elle ne mentait pas, et cette histoire l'épouvantait.
Ah ! ces enfants, avec leurs cœurs, comme ils gâtaient tout !
Alors, il se fâcha.

– Elle est folle, ne l'écoutez pas. Elle vous raconte des histoires
920 stupides… Allons, finissons-en.

Elle voulut protester encore. Elle s'agenouilla, elle joignit
les mains. L'officier, tranquillement, assistait à cette lutte
douloureuse.

– Mon Dieu ! finit-il par dire, je prends votre père, parce que
925 je ne tiens plus l'autre… Tâchez de retrouver l'autre, et votre
père sera libre.

Un moment, elle le regarda, les yeux agrandis par l'atro-
cité de cette proposition.

– C'est horrible, murmura-t-elle. Où voulez-vous que je
930 retrouve Dominique, à cette heure ? Il est parti, je ne sais plus.

– Enfin, choisissez. Lui ou votre père.

– Oh ! mon Dieu ! est-ce que je puis choisir ? Mais je saurais
où est Dominique, que je ne pourrais pas choisir !… C'est mon
cœur que vous coupez… J'aimerais mieux mourir tout de suite.
935 Oui, ce serait plus tôt fait. Tuez-moi, je vous en prie, tuez-
moi…

Cette scène de désespoir et de larmes finissait par impatienter
l'officier. Il s'écria :

– En voilà assez ! Je veux être bon, je consens à vous donner
940 deux heures… Si, dans deux heures, votre amoureux n'est pas
là, votre père paiera pour lui.

Et il fit conduire le père Merlier dans la chambre qui avait servi de prison à Dominique. Le vieux demanda du tabac et se mit à fumer. Sur son visage impassible[6] on ne lisait aucune émotion. Seulement, quand il fut seul, tout en fumant, il pleura deux grosses larmes qui coulèrent lentement sur ses joues. Sa pauvre et chère enfant, comme elle souffrait !

Françoise était restée au milieu de la cour. Des soldats prussiens passaient en riant. Certains lui jetaient des mots, des plaisanteries qu'elle ne comprenait pas. Elle regardait la porte par laquelle son père venait de disparaître. Et d'un geste lent, elle portait la main à son front, comme pour l'empêcher d'éclater.

L'officier tourna sur ses talons, en répétant :

– Vous avez deux heures. Tâchez de les utiliser.

Elle avait deux heures. Cette phrase bourdonnait dans sa tête. Alors, machinalement, elle sortit de la cour, elle marcha devant elle. Où aller ? Que faire ? Elle n'essayait même pas de prendre un parti, parce qu'elle sentait bien l'inutilité de ses efforts. Pourtant, elle aurait voulu voir Dominique. Ils se seraient entendus tous les deux, ils auraient peut-être trouvé un expédient[7]. Et, au milieu de la confusion de ses pensées, elle descendit au bord de la Morelle, qu'elle traversa en dessous de l'écluse, à un endroit où il y avait de grosses pierres. Ses pieds la conduisirent sous le premier saule, au coin de la prairie. Comme elle se baissait, elle aperçut une mare de sang qui la fit pâlir. C'était bien là. Et elle suivit les traces de Dominique dans l'herbe foulée ; il avait dû courir, on voyait une ligne de grands pas coupant la prairie de biais. Puis, au-delà, elle perdit ces traces. Mais, dans un pré voisin, elle crut les retrouver. Cela la conduisit à la lisière de la forêt, où toute indication s'effaçait.

| **6.** Calme. | **7.** Combine, astuce.

Françoise s'enfonça quand même sous les arbres. Cela la soulageait d'être seule. Elle s'assit un instant. Puis, en songeant
975 que l'heure s'écoulait, elle se remit debout. Depuis combien de temps avait-elle quitté le moulin ? Cinq minutes ? Une demi-heure ? Elle n'avait plus conscience du temps. Peut-être Dominique était-il allé se cacher dans un taillis[8] qu'elle connais-sait, et où ils avaient, une après-midi, mangé des noisettes
980 ensemble. Elle se rendit au taillis, le visita. Un merle seul s'en-vola, en sifflant sa phrase douce et triste. Alors, elle pensa qu'il s'était réfugié dans un creux de roches, où il se mettait parfois à l'affût ; mais le creux de roches était vide. À quoi bon le cher-cher ? elle ne le trouverait pas ; et peu à peu le désir de le décou-
985 vrir la passionnait, elle marchait plus vite. L'idée qu'il avait dû monter dans un arbre lui vint brusquement. Elle avança dès lors, les yeux levés, et pour qu'il la sût près de lui, elle l'ap-pelait tous les quinze à vingt pas. Des coucous répondaient, un souffle qui passait dans les branches lui faisait croire qu'il
990 était là et qu'il descendait. Une fois même, elle s'imagina le voir ; elle s'arrêta, étranglée, avec l'envie de fuir. Qu'allait-elle lui dire ? Venait-elle donc pour l'emmener et le faire fusiller ? Oh ! non, elle ne parlerait point de ces choses. Elle lui crierait de se sauver, de ne pas rester dans les environs. Puis, la pensée
995 de son père qui l'attendait lui causa une douleur aiguë. Elle tomba sur le gazon, en pleurant, en répétant tout haut :

– Mon Dieu ! mon Dieu ! pourquoi suis-je là !

Elle était folle d'être venue. Et comme prise de peur, elle courut, elle chercha à sortir de la forêt. Trois fois, elle se
1000 trompa, et elle croyait qu'elle ne retrouverait plus le moulin, lorsqu'elle déboucha dans une prairie, juste en face de Rocreuse. Dès qu'elle aperçut le village, elle s'arrêta. Est-ce qu'elle allait rentrer seule ?

---

8. Partie d'un bois ou d'une forêt où il n'y a que des arbres de faible hauteur.

Elle restait debout, quand une voix l'appela doucement :

005 – Françoise ! Françoise !

Et elle vit Dominique qui levait la tête, au bord d'un fossé. Juste Dieu ! elle l'avait trouvé ! Le ciel voulait donc sa mort ? Elle retint un cri, elle se laissa glisser dans le fossé.

– Tu me cherchais ? demanda-t-il.

010 – Oui, répondit-elle, la tête bourdonnante, ne sachant ce qu'elle disait.

– Ah ! que se passe-t-il ?

Elle baissa les yeux, elle balbutia :

– Mais, rien, j'étais inquiète, je désirais te voir.

015 Alors, tranquillisé, il lui expliqua qu'il n'avait pas voulu s'éloigner. Il craignait pour eux. Ces gredins de Prussiens étaient très capables de se venger sur les femmes et sur les vieillards. Enfin, tout allait bien, et il ajouta en riant :

– La noce sera pour dans huit jours, voilà tout.

020 Puis, comme elle restait bouleversée, il redevint grave.

– Mais, qu'as-tu ? Tu me caches quelque chose.

– Non, je te jure. J'ai couru pour venir.

Il l'embrassa, en disant que c'était imprudent pour elle et pour lui de causer davantage ; et il voulut remonter le fossé, 025 afin de rentrer dans la forêt. Elle le retint. Elle tremblait.

– Écoute, tu ferais peut-être bien tout de même de rester là… Personne ne te cherche, tu ne crains rien.

– Françoise, tu me caches quelque chose, répéta-t-il.

De nouveau, elle jura qu'elle ne lui cachait rien. Seulement, 030 elle aimait mieux le savoir près d'elle. Et elle bégaya encore d'autres raisons. Elle lui parut si singulière, que maintenant lui-même aurait refusé de s'éloigner. D'ailleurs, il croyait au retour des Français. On avait vu des troupes du côté de Sauval.

035 – Ah ! qu'ils se pressent, qu'ils soient ici le plus tôt possible ! murmura-t-elle avec ferveur.

À ce moment, onze heures sonnèrent au clocher de Rocreuse. Les coups arrivaient, clairs et distincts. Elle se leva, effarée[9] ; il y avait deux heures qu'elle avait quitté le moulin.

1040 — Écoute, dit-elle rapidement, si nous avons besoin de toi, je monterai dans ma chambre et j'agiterai mon mouchoir.

Et elle partit en courant, pendant que Dominique, très inquiet, s'allongeait au bord du fossé, pour surveiller le moulin. Comme elle allait rentrer dans Rocreuse, Françoise rencontra

1045 un vieux mendiant, le père Bontemps, qui connaissait tout le pays. Il la salua, il venait de voir le meunier au milieu des Prussiens ; puis, en faisant des signes de croix et en marmottant des mots entrecoupés, il continua sa route.

— Les deux heures sont passées, dit l'officier quand Françoise

1050 parut.

Le père Merlier était là, assis sur le banc, près du puits. Il fumait toujours. La jeune fille, de nouveau, supplia, pleura, s'agenouilla. Elle voulait gagner du temps. L'espoir de voir revenir les Français avait grandi en elle, et tandis qu'elle se

1055 lamentait, elle croyait entendre au loin les pas cadencés d'une armée. Oh ! s'ils avaient paru, s'ils les avaient tous délivrés !

— Écoutez, monsieur, une heure, encore une heure… Vous pouvez bien nous accorder une heure !

1060 Mais l'officier restait inflexible[10]. Il ordonna même à deux hommes de s'emparer d'elle et de l'emmener, pour qu'on procédât à l'exécution du vieux tranquillement. Alors, un combat affreux se passa dans le cœur de Françoise. Elle ne pouvait laisser ainsi assassiner son père. Non, non, elle mour-

1065 rait plutôt avec Dominique ; et elle s'élançait vers sa chambre, lorsque Dominique lui-même entra dans la cour.

---

9. Effrayée.
10. Ferme dans ses positions, impitoyable.

L'officier et les soldats poussèrent un cri de triomphe. Mais lui, comme s'il n'y avait eu là que Françoise, s'avança vers elle, tranquille, un peu sévère.

070 – C'est mal, dit-il. Pourquoi ne m'avez-vous pas ramené ? Il a fallu que le père Bontemps me contât les choses… Enfin, me voilà.

V

Il était trois heures. De grands nuages noirs avaient lentement empli le ciel, la queue de quelque orage voisin. Ce ciel
75 jaune, ces haillons cuivrés changeaient la vallée de Rocreuse, si gaie au soleil, en un coupe-gorge plein d'une ombre louche. L'officier prussien s'était contenté de faire enfermer Dominique, sans se prononcer sur le sort qu'il lui réservait. Depuis midi, Françoise agonisait dans une angoisse abominable. Elle ne
80 voulait pas quitter la cour, malgré les instances[11] de son père. Elle attendait les Français. Mais les heures s'écoulaient, la nuit allait venir, et elle souffrait d'autant plus, que tout ce temps gagné ne paraissait pas devoir changer l'affreux dénouement.

Cependant, vers trois heures, les Prussiens firent leurs préparatifs de départ. Depuis un instant, l'officier s'était, comme la
85 veille, enfermé avec Dominique. Françoise avait compris que la vie du jeune homme se décidait. Alors, elle joignit les mains, elle pria. Le père Merlier, à côté d'elle, gardait son attitude muette et rigide de vieux paysan, qui ne lutte pas contre la
90 fatalité[12] des faits.

– Oh ! mon Dieu ! Oh ! mon Dieu ! balbutiait Françoise, ils vont le tuer…

---

11. Prières, demandes, sollicitations pressantes.
12. Ce qui est déterminé à l'avance et contre quoi l'on ne peut rien.

Le meunier l'attira près de lui et la prit sur ses genoux comme un enfant.

1095 À ce moment, l'officier sortait, tandis que, derrière lui, deux hommes amenaient Dominique.

– Jamais, jamais ! criait ce dernier. Je suis prêt à mourir.

– Réfléchissez bien, reprit l'officier. Ce service que vous me refusez, un autre nous le rendra. Je vous offre la vie, je suis 1100 généreux… Il s'agit simplement de nous conduire à Montredon, à travers bois. Il doit y avoir des sentiers.

Dominique ne répondait plus.

– Alors, vous vous entêtez ?

– Tuez-moi, et finissons-en, répondit-il.

1105 Françoise, les mains jointes, le suppliait de loin. Elle oubliait tout, elle lui aurait conseillé une lâcheté. Mais le père Merlier lui saisit les mains, pour que les Prussiens ne vissent[13] pas son geste de femme affolée.

– Il a raison, murmura-t-il, il vaut mieux mourir.

1110 Le peloton d'exécution était là. L'officier attendait une faiblesse de Dominique. Il comptait toujours le décider. Il y eut un silence. Au loin, on entendait de violents coups de tonnerre. Une chaleur lourde écrasait la campagne. Et ce fut dans ce silence qu'un cri retentit :

1115 – Les Français ! Les Français !

C'étaient eux, en effet. Sur la route de Sauval, à la lisière du bois, on distinguait la ligne des pantalons rouges. Ce fut, dans le moulin, une agitation extraordinaire. Les soldats prussiens couraient, avec des exclamations gutturales[14]. D'ailleurs, 1120 pas un coup de feu n'avait encore été tiré.

– Les Français ! Les Français ! cria Françoise en battant des mains.

---

13. Verbe « voir » à la 3e personne du pluriel de l'imparfait du subjonctif.
14. Émises par le gosier, qui émettent un son rauque.

Elle était comme folle. Elle venait de s'échapper de l'étreinte de son père, et elle riait, les bras en l'air. Enfin, ils arrivaient donc, et ils arrivaient à temps, puisque Dominique était encore là, debout!

Un feu de peloton terrible, qui éclata comme un coup de foudre à ses oreilles, la fit se retourner. L'officier venait de murmurer:

— Avant tout, réglons cette affaire.

Et poussant lui-même Dominique contre le mur d'un hangar, il avait commandé le feu. Quand Françoise se tourna, Dominique était par terre, la poitrine trouée de douze balles.

Elle ne pleura pas, elle resta stupide. Ses yeux devinrent fixes, et elle alla s'asseoir sous le hangar, à quelques pas du corps. Elle le regardait, elle avait par moments un geste vague et enfantin de la main. Les Prussiens s'étaient emparés du père Merlier comme d'un otage.

Ce fut un beau combat. Rapidement, l'officier avait posté ses hommes, comprenant qu'il ne pouvait battre en retraite, sans se faire écraser. Autant valait-il vendre chèrement sa vie. Maintenant, c'étaient les Prussiens qui défendaient le moulin, et les Français qui l'attaquaient. La fusillade commença avec une violence inouïe. Pendant une demi-heure, elle ne cessa pas. Puis, un éclat sourd se fit entendre, et un boulet cassa une maîtresse branche de l'orme séculaire. Les Français avaient du canon. Une batterie, dressée juste au-dessus du fossé, dans lequel s'était caché Dominique, balayait la grande rue de Rocreuse. La lutte, désormais, ne pouvait être longue.

Ah! le pauvre moulin! Des boulets le perçaient de part en part. Une moitié de la toiture fut enlevée. Deux murs s'écroulèrent. Mais c'était surtout du côté de la Morelle que le désastre devint lamentable. Les lierres, arrachés des murailles ébranlées, pendaient comme des guenilles; la rivière emportait des débris de toutes sortes, et l'on voyait, par une brèche[15], la chambre de Françoise, avec son lit, dont les rideaux blancs étaient soigneusement tirés. Coup sur coup, la vieille roue reçut deux boulets, et elle eut un gémissement suprême : les palettes furent charriées dans le courant, la carcasse s'écrasa. C'était l'âme du gai moulin qui venait de s'exhaler[16].

Puis, les Français donnèrent l'assaut. Il y eut un furieux combat à l'arme blanche. Sous le ciel couleur de rouille, le coupe-gorge de la vallée s'emplissait de morts. Les larges prairies semblaient farouches, avec leurs grands arbres isolés, leurs rideaux de peupliers qui les tachaient d'ombre. À droite et à gauche, les forêts étaient comme les murailles d'un cirque qui enfermaient les combattants, tandis que les sources, les fontaines et les eaux courantes prenaient des bruits de sanglots, dans la panique de la campagne.

Sous le hangar, Françoise n'avait pas bougé, accroupie en face du corps de Dominique. Le père Merlier venait d'être tué raide par une balle perdue. Alors, comme les Prussiens étaient exterminés et que le moulin brûlait, le capitaine français entra le premier dans la cour. Depuis le commencement de la campagne, c'était l'unique succès qu'il remportait. Aussi, tout enflammé, grandissant sa haute taille, riait-il de son air aimable de beau cavalier. Et, apercevant Françoise imbécile entre les cadavres de son mari et de son père, au milieu des ruines fumantes du moulin, il la salua galamment de son épée, en criant :

– Victoire ! Victoire !

Émile Zola, « L'Attaque du moulin »,
nouvelle extraite des *Soirées de Médan*, 1880.

---

15. Ouverture.   **16.** Se répandre dans l'atmosphère.

Repérer et analyser

La progression de l'action, le temps

1 Quel est le moment de la journée évoqué au début du chapitre 4 ? Rappelez quel est l'événement qui devait être célébré ce jour-là.

2 **a.** Quel est l'événement qui, au début du chapitre 4, provoque la colère de l'officier prussien ?
b. Quelle est la réaction de l'officier quand il apprend que Dominique s'est échappé ? Que demande-t-il à Françoise ?

3 **a.** Comment Françoise retrouve-t-elle Dominique ?
b. « Vous avez deux heures » (l. 955) : combien de lignes sont consacrées à ces deux heures ? Quel est l'effet produit ?

4 **a.** Quelle est la durée de l'ellipse signalée au début du chapitre 5 ?
b. Quels sont les événements qui se succèdent dans ce dernier chapitre ? Quel est le dénouement de la nouvelle ?

La structure de la nouvelle

Les effets d'annonce, les effets d'écho

5 Comment le narrateur annonce-t-il la mort du soldat prussien dès la fin du chapitre 3 ?

6 Montrez que la mort du soldat prussien fait écho à la mort d'un autre soldat. Reportez-vous au chapitre 2 pour retrouver le passage précis. Dans quel camp ce soldat combattait-il ? En quoi ces deux morts participent-elles à la dénonciation de la guerre ?

La montée dramatique

Au théâtre, on parle de coup de théâtre lorsque survient un événement inattendu.

7 En quoi le chapitre 4 marque-t-il un point culminant dans l'action ? Montrez qu'il se termine par un coup de théâtre.

La comparaison entre le début et la fin

8 Comparez la situation initiale et la situation finale.
a. Combien de temps s'écoule-t-il entre le début et la fin de la nouvelle ?

b. Qui attaque le moulin au début de la nouvelle ? Qui le défend ?

c. Relevez les termes qui caractérisent les lieux l. 1163 à 1170. Quels sont les éléments du paysage que l'on retrouve par rapport au chapitre 1 ? En quoi le paysage s'est-il transformé ?

Les personnages

Le père Merlier

9 **a.** Quel est le comportement du père Merlier face à l'ennemi ? Citez le texte.

b. Quelle est sa réaction lorsqu'il découvre que Dominique a fui et que Françoise a été complice de sa fuite ? Quelles sont les valeurs morales qu'il incarne ?

Françoise et Dominique

10 Le dilemme

Un dilemme est une situation dans laquelle on doit choisir entre deux propositions contradictoires, qui présentent toutes deux des inconvénients.

a. À quel dilemme Françoise est-elle soumise ? En quoi ce dilemme est-il tragique ?

b. Quel choix effectue-t-elle ?

11 Relisez les lignes 849 à 856. Quels sentiments Françoise éprouve-t-elle face à l'ennemi mort ?

12 Quelle décision Dominique a-t-il pris à la fin du chapitre 4 ? Au nom de quels sentiments agit-il ? De quelles qualités fait-il preuve ?

Le mode de narration : les paroles et pensées rapportées

Le narrateur peut rapporter les paroles ou les pensées des personnages :
– soit au style direct en les citant entre guillemets (ex : « Je viendrai ») ;
– soit au style indirect en les intégrant à la narration à l'aide d'un verbe de parole ou de pensée suivi d'une conjonction de subordination (ex : « Il lui dit qu'il viendrait ») ;
– soit au style indirect libre en les intégrant à la narration sans verbe de parole ou de pensée ni mot subordonnant (ex : « Il viendrait, il le lui assura ») ;
– soit sous la forme du récit de paroles en signalant que des propos ont été tenus sur un sujet (ex : « Il parla de son métier »).

13 a. Repérez les passages dialogués du chapitre 4. Montrez qu'ils correspondent à deux grandes scènes. Qui sont les interlocuteurs ?
b. Quel est pour le lecteur l'intérêt de ces dialogues ?
c. À certains moments, le narrateur rapporte les paroles des personnages au style indirect. Donnez-en un exemple. Pour quelle raison le fait-il ?

14 Relisez les lignes 956 à 997.
a. Quelles sont les différentes pensées qui assaillent Françoise ? Pourquoi le narrateur a-t-il choisi de retranscrire ces pensées ? Selon quel style les rapporte-t-il de façon dominante ?
b. Relevez dans ce passage une réflexion que Françoise se fait à voix haute. Quel est le style utilisé ? Quel est l'effet produit ?

Le naturalisme zolien

La dimension réaliste : l'évocation de la mort

15 Montrez que la mort est d'abord entendue puis vue. Selon le point de vue de quel personnage ? Quels sont les détails réalistes de cette évocation ? Quel est l'effet produit ?

Les symboles

16 Quelles sont les conditions météorologiques au début du chapitre 5 ? Relevez dans les premières lignes de ce chapitre les termes qui confèrent au paysage un caractère inquiétant.

Le tragique

> Zola multiplie les scènes pathétiques : certaines scènes rappellent des scènes de tragédie.
> La tragédie classique se développe sur cinq actes. Elle met en scène des personnages en proie à de fortes passions, accablés par le destin. La tragédie aboutit toujours à un dénouement douloureux marqué par le malheur ou la mort.

17 a. En quoi peut-on rapprocher la fin de la nouvelle de la fin d'une tragédie ?
b. Quel est l'état intérieur de Françoise à la fin de la nouvelle ? Relevez les termes qui montrent sa souffrance et qui l'apparentent à un personnage de tragédie.

L'esthétique visionnaire

18 La mort de la machine

> La mort de la machine est un motif zolien : mort de la Lison dans *La Bête humaine*, mort du Voreux dans *Germinal*…

Relevez l. 1151 à 1161 les éléments qui personnifient le moulin et la roue. Associez-les au champ lexical de la mort. Quel est l'effet produit ?

19 Montrez, en citant le texte, qu'à la fin de la nouvelle le paysage devient un paysage de mort. En quoi cette transformation est-elle en rapport avec l'action ?

La chute

> La chute est la phrase par laquelle se termine le récit, le « mot de la fin », qui a pour fonction de provoquer une réaction du lecteur.

20 **a.** Par quels mots la nouvelle se termine-t-elle ? Qui les prononce ? Relevez les termes qui caractérisent le physique de ce personnage.
b. En quoi ces mots et l'apparition de ce personnage font-ils contraste avec l'état de Françoise et la situation dans laquelle elle se trouve ?

21 L'ironie tragique

> On parle d'ironie tragique quand un sort cruellement moqueur s'abat sur un personnage.

Sur quoi la victoire des Français repose-t-elle ? En quoi la fin de la nouvelle relève-t-elle de l'ironie tragique ?

La visée

22 Quelles émotions et sentiments Zola cherche-t-il à provoquer à la fin de la nouvelle ?

23 **a.** Quelle est la position de Zola concernant la guerre, les chefs militaires ?
b. En quoi la situation de face à face avec l'ennemi mort permet-elle une dénonciation de la guerre ?

Écrire

Écrire un dilemme

24 Imaginez les pensées de Françoise (l. 1062 à 1065) partagée entre l'amour pour son père et celui pour son fiancé. Vous respecterez la narration à la 3ᵉ personne et introduirez ces pensées au style indirect libre.

Imaginer une autre fin

25 Imaginez que les Français arrivent avant que Dominique n'ait été fusillé. Rédigez une autre fin à la nouvelle.

Lire

26 Zola a écrit d'autres scènes de destruction. Par exemple, à la fin du roman *Germinal* (Partie VII, ch. 3), un personnage sabote la mine de Voreux. Retrouvez ce passage et lisez-le.

Étudier une image

27 Reportez-vous à l'illustration ci-dessous.

a. Quelle scène est représentée ? Dans quel cadre se déroule-t-elle ?

b. Quelle impression se dégage de cette illustration ? Pourquoi ?

c. Quels éléments peuvent être rapprochés du texte de Zola ?

Les dragons à Gravelotte (16-18 août 1870), d'après E. Brisset. Paru dans *Le Petit Journal*, mai 1894.

Nouvelle 2

Nantas

I

La chambre que Nantas habitait depuis son arrivée de Marseille se trouvait au dernier étage d'une maison de la rue de Lille, à côté de l'hôtel du baron Danvilliers, membre du conseil d'État. Cette maison appartenait au baron, qui l'avait
5 fait construire sur d'anciens communs[1]. Nantas, en se penchant, pouvait apercevoir un coin du jardin de l'hôtel, où les arbres superbes jetaient leur ombre. Au-delà, par-dessus les cimes vertes, une échappée[2] s'ouvrait sur Paris, on voyait la trouée[3] de la Seine, les Tuileries, le Louvre, l'enfilade des
10 quais, toute une mer de toitures, jusqu'aux lointains perdus du Père-Lachaise.

C'était une étroite chambre mansardée, avec une fenêtre taillée dans les ardoises. Nantas l'avait simplement meublée d'un lit, d'une table et d'une chaise. Il était descendu là, cher-
15 chant le bon marché, décidé à camper tant qu'il n'aurait pas trouvé une situation quelconque. Le papier sali, le plafond noir, la misère et la nudité de ce cabinet où il n'y avait pas de cheminée, ne le blessaient point. Depuis qu'il s'endormait en face du Louvre et des Tuileries, il se comparait à un général
20 qui couche dans quelque misérable auberge, au bord d'une route, devant la ville riche et immense, qu'il doit prendre d'assaut le lendemain.

L'histoire de Nantas était courte. Fils d'un maçon de Marseille, il avait commencé ses études au lycée de cette ville,

---

1. Bâtiments consacrés au service dans une grande maison.

2. Espace étroit qui laisse voir quelque chose.
3. Ouverture naturelle ou artificielle, dans une haie ou un bois.

25 poussé par l'ambitieuse tendresse de sa mère, qui rêvait de
faire de lui un monsieur. Les parents s'étaient saignés pour le
mener jusqu'au baccalauréat. Puis, la mère étant morte, Nantas
dut accepter un petit emploi chez un négociant, où il traîna
pendant douze années une vie dont la monotonie l'exaspérait.
30 Il se serait enfui vingt fois, si son devoir de fils ne l'avait cloué
à Marseille, près de son père tombé d'un échafaudage et devenu
impotent[4]. Maintenant, il devait suffire à tous les besoins.
Mais un soir, en rentrant, il trouva le maçon mort, sa pipe
encore chaude à côté de lui. Trois jours plus tard, il vendait
35 les quatre nippes[5] du ménage, et partait pour Paris, avec deux
cents francs dans sa poche.

Il y avait, chez Nantas, une ambition entêtée de fortune,
qu'il tenait de sa mère. C'était un garçon de décision prompte[6],
de volonté froide. Tout jeune, il disait être une force. On avait
40 souvent ri de lui, lorsqu'il s'oubliait à faire des confidences
et à répéter sa phrase favorite : « Je suis une force », phrase
qui devenait comique, quand on le voyait avec sa mince redingote noire, craquée aux épaules, et dont les manches lui remon-
taient au-dessus des poignets. Peu à peu, il s'était ainsi fait une
45 religion de la force, ne voyant qu'elle dans le monde, convaincu
que les forts sont quand même les victorieux. Selon lui, il suffi-
sait de vouloir et de pouvoir. Le reste n'avait pas d'importance.

Le dimanche, lorsqu'il se promenait seul dans la banlieue
50 brûlée de Marseille, il se sentait du génie ; au fond de son être,
il y avait comme une impulsion instinctive qui le jetait en avant ;
et il rentrait manger quelque platée de pommes de terre avec
son père infirme, en se disant qu'un jour il saurait bien se tailler
sa part, dans cette société où il n'était rien encore à trente ans.

---

4. Qui se déplace avec difficulté, qui est privé de l'usage d'un membre.

5. Vieux vêtements usés (familier).

6. Rapide.

55 Ce n'était point une envie basse, un appétit des jouissances vulgaires ; c'était le sentiment très net d'une intelligence et d'une volonté qui, n'étant pas à leur place, entendaient monter tranquillement à cette place, par un besoin naturel de logique.

Dès qu'il toucha le pavé de Paris, Nantas crut qu'il lui suffi-
60 rait d'allonger les mains, pour trouver une situation digne de lui. Le jour même, il se mit en campagne. On lui avait donné des lettres de recommandation, qu'il porta à leur adresse ; en outre, il frappa chez quelques compatriotes, espérant leur appui. Mais, au bout d'un mois, il n'avait obtenu aucun
65 résultat : le moment était mauvais, disait-on ; ailleurs, on lui faisait des promesses qu'on ne tenait point. Cependant, sa petite bourse se vidait, il lui restait une vingtaine de francs, au plus. Et ce fut avec ces vingt francs qu'il dut vivre tout un mois encore, ne mangeant que du pain, battant Paris du matin au
70 soir, et revenant se coucher sans lumière, brisé de fatigue, toujours les mains vides. Il ne se décourageait pas ; seulement, une sourde colère montait en lui. La destinée lui semblait illo-gique et injuste.

Un soir, Nantas rentra sans avoir mangé. La veille, il avait
75 fini son dernier morceau de pain. Plus d'argent et pas un ami pour lui prêter vingt sous. La pluie était tombée toute la journée, une de ces pluies grises de Paris qui sont si froides. Un fleuve de boue coulait dans les rues. Nantas, trempé jusqu'aux os, était allé à Bercy, puis à Montmartre, où on lui
80 avait indiqué des emplois ; mais, à Bercy, la place était prise, et l'on n'avait pas trouvé son écriture assez belle, à Montmartre. C'étaient ses deux dernières espérances. Il aurait accepté n'importe quoi, avec la certitude qu'il taillerait sa fortune dans la première situation venue. Il ne demandait
85 d'abord que du pain, de quoi vivre à Paris, un terrain quel-conque pour bâtir ensuite pierre à pierre. De Montmartre à la rue de Lille, il marcha lentement, le cœur noyé d'amertume.

La pluie avait cessé, une foule affairée le bousculait sur les trottoirs. Il s'arrêta plusieurs minutes devant la boutique d'un
90 changeur : cinq francs lui auraient peut-être suffi pour être un jour le maître de tout ce monde ; avec cinq francs on peut vivre huit jours, et en huit jours on fait bien des choses. Comme il rêvait ainsi, une voiture l'éclaboussa, il dut s'essuyer le front qu'un jet de boue avait souffleté. Alors, il marcha plus vite,
95 serrant les dents, pris d'une envie féroce de tomber à coups de poing sur la foule qui barrait les rues : cela l'aurait vengé de la bêtise du destin. Un omnibus[7] faillit l'écraser, rue Richelieu. Au milieu de la place du Carrousel, il jeta aux Tuileries un regard jaloux. Sur le pont des Saints-Pères, une petite fille bien
100 mise l'obligea à s'écarter de son droit chemin, qu'il suivait avec la raideur d'un sanglier traqué par une meute ; et ce détour lui parut une suprême humiliation : jusqu'aux enfants qui l'empêchaient de passer ! Enfin, quand il se fut réfugié dans sa chambre, ainsi qu'une bête blessée revient mourir au gîte, il
105 s'assit lourdement sur sa chaise, assommé, examinant son pantalon que la crotte avait raidi, et ses souliers éculés[8] qui laissaient couler une mare sur le carreau.

Cette fois, c'était bien la fin. Nantas se demandait comment il se tuerait. Son orgueil restait debout, il jugeait que son suicide
110 allait punir Paris. Être une force, sentir en soi une puissance, et ne pas trouver une personne qui vous devine, qui vous donne le premier écu dont vous avez besoin ! Cela lui semblait d'une sottise monstrueuse, son être entier se soulevait de colère. Puis, c'était en lui un immense regret, lorsque ses regards tombaient
115 sur ses bras inutiles. Aucune besogne pourtant ne lui faisait peur ; du bout de son petit doigt, il aurait soulevé un monde ; et il demeurait là, rejeté dans son coin, réduit à l'impuissance, se dévorant comme un lion en cage. Mais, bientôt, il se calmait,

---

7. Moyen de transport en commun à traction animale. | **8.** Usés, dont les talons sont déformés.

il trouvait la mort plus grande. On lui avait conté, quand il
120 était petit, l'histoire d'un inventeur qui, ayant construit une
merveilleuse machine, la cassa un jour à coups de marteau,
devant l'indifférence de la foule. Eh bien ! il était cet homme,
il apportait en lui une force nouvelle, un mécanisme rare d'intelligence et de volonté, et il allait détruire cette machine, en
125 se brisant le crâne sur le pavé de la rue.

Le soleil se couchait derrière les grands arbres de l'hôtel
Danvilliers, un soleil d'automne dont les rayons d'or allumaient les feuilles jaunies. Nantas se leva comme attiré par
cet adieu de l'astre. Il allait mourir, il avait besoin de lumière.
130 Un instant, il se pencha. Souvent, entre les masses des
feuillages, au détour d'une allée, il avait aperçu une jeune fille
blonde, très grande, marchant avec un orgueil princier. Il n'était
point romanesque, il avait passé l'âge où les jeunes hommes
rêvent, dans les mansardes, que des demoiselles du monde
135 viennent leur apporter de grandes passions et de grandes
fortunes. Pourtant, il arriva, à cette heure suprême du suicide,
qu'il se rappela tout d'un coup cette belle fille blonde, si
hautaine. Comment pouvait-elle se nommer ? Mais, au même
instant, il serra les poings, car il ne se sentait que de la haine
140 pour les gens de cet hôtel dont les fenêtres entrouvertes lui
laissaient apercevoir des coins de luxe sévère, et il murmura
dans un élan de rage :

« Oh ! je me vendrais, je me vendrais, si l'on me donnait les
premiers cent sous de ma fortune future ! »
145 Cette idée de se vendre l'occupa un moment. S'il y avait eu
quelque part un Mont-de-Piété[9] où l'on prêtât sur la volonté
et l'énergie, il serait allé s'y engager. Il imaginait des marchés,
un homme politique venait l'acheter pour faire de lui un instru-
ment, un banquier le prenait pour user à toute heure de son

---

9. Sorte de banque, à Paris, qui prête de l'argent en échange d'objets personnels
que l'on dépose.

150 intelligence ; et il acceptait, ayant le dédain de l'honneur, se disant qu'il suffirait d'être fort et de triompher un jour. Puis, il eut un sourire. Est-ce qu'on trouve à se vendre ? Les coquins, qui guettent les occasions, crèvent de misère, sans mettre jamais la main sur un acheteur. Il craignit d'être lâche, il se dit qu'il

155 inventait là des distractions. Et il s'assit de nouveau, en jurant qu'il se précipiterait de la fenêtre, lorsqu'il ferait nuit noire.

Cependant, sa fatigue était telle, qu'il s'endormit sur sa chaise. Brusquement, il fut réveillé par un bruit de voix. C'était sa concierge qui introduisait chez lui une dame.

160 « Monsieur, commença-t-elle, je me suis permis de faire monter… »

Et, comme elle s'aperçut qu'il n'y avait pas de lumière dans la chambre, elle redescendit vivement chercher une bougie. Elle paraissait connaître la personne qu'elle amenait, à la

165 fois complaisante et respectueuse.

« Voilà, reprit-elle en se retirant. Vous pouvez causer, personne ne vous dérangera. »

Nantas, qui s'était éveillé en sursaut, regardait la dame avec surprise. Elle avait levé sa voilette[10]. C'était une personne de

170 quarante-cinq ans, petite, très grasse, d'une figure poupine et blanche de vieille dévote. Il ne l'avait jamais vue. Lorsqu'il lui offrit l'unique chaise, en l'interrogeant du regard, elle se nomma :

« Mlle Chuin… Je viens, monsieur, pour vous entretenir

175 d'une affaire importante. »

Lui, avait dû s'asseoir sur le bord du lit. Le nom de Mlle Chuin ne lui apprenait rien. Il prit le parti d'attendre qu'elle voulût bien s'expliquer. Mais elle ne se pressait pas ; elle avait fait d'un coup d'œil le tour de l'étroite pièce, et semblait hésiter sur la

---

10. Petite pièce de tissu, en tulle uni ou moucheté, posé en garniture au bord d'un chapeau et recouvrant le visage.

180 façon dont elle entamerait l'entretien. Enfin, elle parla, d'une voix très douce, en appuyant d'un sourire les phrases délicates.

« Monsieur, je viens en amie… On m'a donné sur votre compte les renseignements les plus touchants. Certes, ne croyez pas à un espionnage. Il n'y a, dans tout ceci, que le vif désir
185 de vous être utile. Je sais combien la vie vous a été rude jusqu'à présent, avec quel courage vous avez lutté pour trouver une situation, et quel est aujourd'hui le résultat fâcheux de tant d'efforts… Pardonnez-moi une fois encore, monsieur, de m'introduire ainsi dans votre existence. Je vous jure que la sympa-
190 thie seule… »

Nantas ne l'interrompait pas, pris de curiosité, pensant que sa concierge avait dû fournir tous ces détails. Mlle Chuin pouvait continuer, et pourtant elle cherchait de plus en plus des compliments, des façons caressantes de dire les choses.

195 « Vous êtes un garçon d'un grand avenir, monsieur. Je me suis permis de suivre vos tentatives et j'ai été vivement frappée par votre louable fermeté dans le malheur. Enfin, il me semble que vous iriez loin, si quelqu'un vous tendait la main. »

Elle s'arrêta encore. Elle attendait un mot. Le jeune homme
200 crut que cette dame venait lui offrir une place. Il répondit qu'il accepterait tout. Mais elle, maintenant que la glace était rompue, lui demanda carrément :

« Éprouveriez-vous quelque répugnance à vous marier ?

– Me marier ! s'écria Nantas. Eh ! bon Dieu ! qui voudrait
205 de moi, madame ?… Quelque pauvre fille que je ne pourrais seulement pas nourrir.

– Non, une jeune fille très belle, très riche, magnifiquement apparentée, qui vous mettra d'un coup dans la main les moyens d'arriver à la situation la plus haute. »

210 Nantas ne riait plus.

« Alors, quel est le marché ? demanda-t-il, en baissant instinctivement la voix.

Illustration de Maurice Toussaint pour « Nantas »,
éditions Calmann-Lévy, Paris, 1911.

– Cette jeune fille est enceinte, et il faut reconnaître l'enfant », dit nettement Mlle Chuin, qui oubliait ses tournures onctueuses[11] pour aller plus vite en affaire.

Le premier mouvement de Nantas fut de jeter l'entremetteuse[12] à la porte.

« C'est une infamie[13] que vous me proposez là, murmura-t-il.

– Oh ! une infamie, s'écria Mlle Chuin, retrouvant sa voix mielleuse, je n'accepte pas ce vilain mot… La vérité, monsieur, est que vous sauverez une famille du désespoir. Le père ignore tout, la grossesse n'est encore que peu avancée ; et c'est moi qui ai conçu l'idée de marier le plus tôt possible la pauvre fille, en présentant le mari comme l'auteur de l'enfant. Je connais le père, il en mourrait. Ma combinaison amortira le coup,

11. Douces, agréables.
12. Personne qui sert d'intermédiaire, souvent dans une intrigue amoureuse.
13. Action vile et honteuse.

il croira à une réparation… Le malheur est que le véritable séducteur est marié. Ah ! monsieur, il y a des hommes qui manquent vraiment de sens moral… »

230   Elle aurait pu aller longtemps ainsi. Nantas ne l'écoutait plus. Pourquoi donc refuserait-il ? Ne demandait-il pas à se vendre tout à l'heure ? Eh bien ! on venait l'acheter. Donnant, donnant. Il donnait son nom, on lui donnait une situation. C'était un contrat comme un autre. Il regarda son pantalon

235   crotté par la boue de Paris, il sentit qu'il n'avait pas mangé depuis la veille, toute la colère de ses deux mois de recherches et d'humiliations lui revint au cœur. Enfin ! il allait donc mettre le pied sur ce monde qui le repoussait et le jetait au suicide !

« J'accepte », dit-il crûment.

240   Puis, il exigea de Mlle Chuin des explications claires. Que voulait-elle pour son entremise ? Elle se récria[14], elle ne voulait rien. Pourtant, elle finit par demander vingt mille francs, sur l'apport que l'on constituerait au jeune homme. Et, comme il ne marchandait pas, elle se montra expansive.

245   « Écoutez, c'est moi qui ai songé à vous. La jeune personne n'a pas dit non, lorsque je vous ai nommé… Oh ! c'est une bonne affaire, vous me remercierez plus tard. J'aurais pu trouver un homme titré, j'en connais un qui m'aurait baisé les mains. Mais j'ai préféré choisir en dehors du monde de cette

250   pauvre enfant. Cela paraîtra plus romanesque… Puis, vous me plaisez. Vous êtes gentil, vous avez la tête solide. Oh ! vous irez loin. Ne m'oubliez pas, je suis tout à vous. »

Jusque-là, aucun nom n'avait été prononcé. Sur une interrogation de Nantas, la vieille fille se leva et dit en se présentant de nouveau :

255   « Mlle Chuin… Je suis chez le baron Danvilliers depuis la mort de la baronne, en qualité de gouvernante. C'est moi qui

---

14. Lança une exclamation de surprise, de mécontentement et de protestation.

ai élevé Mlle Flavie, la fille de M. le baron… Mlle Flavie est la jeune personne en question. »

260   Et elle se retira, après avoir discrètement déposé sur la table une enveloppe qui contenait un billet de cinq cents francs. C'était une avance faite par elle, pour subvenir aux premiers frais. Quand il fut seul, Nantas alla se mettre à la fenêtre. La nuit était très noire ; on ne distinguait plus que la masse des
265 arbres, à l'épaississement de l'ombre ; une fenêtre luisait sur la façade sombre de l'hôtel. Ainsi, c'était cette grande fille blonde, qui marchait d'un pas de reine et qui ne daignait point l'apercevoir. Elle ou une autre, qu'importait, d'ailleurs ! La femme n'entrait pas dans le marché. Alors, Nantas leva les
270 yeux plus haut, sur Paris grondant dans les ténèbres, sur les quais, les rues, les carrefours de la rive gauche, éclairés des flammes dansantes du gaz ; et il tutoya Paris, il devint familier et supérieur.

« Maintenant, tu es à moi ! »

à suivre…

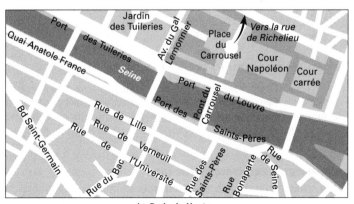

Le Paris de Nantas

Questions

Repérer et analyser

Le narrateur, l'incipit et le titre de la nouvelle

1 À quelle personne le narrateur mène-t-il le récit? Est-il un personnage de l'histoire qu'il raconte?

2 L'incipit

> On appelle *incipit* les premières lignes d'un roman ou d'une nouvelle. L'incipit doit permettre au lecteur d'entrer dans l'univers de la fiction.

Le titre en lui-même est-il parlant? En quoi la lecture de l'incipit est-elle éclairante? À quel type d'histoire peut-on s'attendre?

3 Dans quel espace le lecteur est-il introduit dès les premiers mots? S'agit-il d'un espace ouvert ou fermé?

Les éléments réalistes : le cadre de l'action

> Les lieux peuvent correspondre à des lieux existants et participer à la construction de l'effet de réel.

4 Dans quelle ville l'action se déroule-t-elle? Dans quelle rue précise Nantas habite-t-il? Situez-la sur le plan, p. 73.

5 Relevez des noms de lieux cités qui se réfèrent à des lieux existants. Classez-les : monuments, fleuve, jardin, pont, cimetière…

6 Reconstituez l'itinéraire de Nantas l. 78 à 104.

Le naturalisme zolien : la construction d'un personnage

> Zola, conformément à son projet naturaliste, attribue à un personnage un certain nombre de caractères héréditaires : il fait évoluer ce personnage dans un milieu donné et se propose de suivre ses agissements et d'analyser ses réactions de façon scientifique. En même temps, il entend laisser libre cours à son imagination créatrice.

Le passé et le caractère de Nantas

7 **a.** Quelles informations le narrateur fournit-il sur le passé du personnage?

b. Montrez qu'il le fait par le procédé du retour en arrière. Relevez quelques exemples et identifiez le temps verbal.

8 **a.** Quel trait de caractère Nantas a-t-il hérité de sa mère?
b. Quelles sont les qualités de Nantas?
c. Quelle est la phrase favorite de Nantas qui résume sa ligne de conduite? Rapprochez cette phrase de l'expression l. 44 à 46. Quel sens donnez-vous aux mots « force » et « forts »?

La fonction des lieux

Les lieux peuvent avoir des fonctions narratives. Présenter le lieu où habite un personnage est une façon de montrer qui il est. De même, présenter un lieu qu'il contemple renvoie à ce qu'il ressent. Les changements de lieux peuvent marquer les étapes de la vie d'un personnage.

9 De quel lieu Nantas est-il originaire? Pourquoi l'a-t-il quitté?
10 Dans quel lieu loge-t-il? Relevez les détails qui caractérisent ce lieu. Que révèle-t-il du personnage de Nantas?
11 Quels lieux Nantas contemple-t-il de sa fenêtre? Que ressent-il lorsqu'il les contemple au début du chapitre? Et à la fin? Voit-il la même chose?

Le récit d'apprentissage: le début d'un parcours

La nouvelle « Nantas » se présente comme un récit d'apprentissage, récit qui raconte en général le parcours d'un jeune homme pauvre cherchant à se forger une place avantageuse dans la société.

12 **a.** Dans quelle situation financière Nantas se trouve-t-il au début de la nouvelle? Relevez des passages précis où il est fait référence à l'argent.
b. Nantas effectue-t-il des démarches pour trouver un emploi? Justifiez.
c. Montrez que sa situation se dégrade de jour en jour. Dans quel état moral se trouve-t-il? Relevez et expliquez la métaphore et la comparaison qui le caractérisent l. 99 à 107.
d. À quelle extrémité en arrive-t-il l. 108-109?
13 La rencontre

Le héros du récit d'apprentissage rencontre des initiateurs qui connaissent le monde et qui vont contribuer à faire évoluer sa situation.

a. Quel personnage Nantas rencontre-t-il? Quel est le statut social de ce personnage? Quel rôle a-t-il dans la société?

b. Quelle proposition fait-il à Nantas ? En échange de quoi ?

c. Pourquoi hésite-t-il d'abord à accepter puis accepte-t-il finalement ?

Un personnage : l'entremetteuse

L'entremetteuse est un personnage traditionnel du théâtre. On le trouve aussi dans le roman. L'entremetteuse est un personnage qui, moyennant finance, sert d'intermédiaire dans les intrigues galantes.

14 **a.** Faites le portrait de l'entremetteuse. Quelle image le narrateur donne-t-il d'elle ?

b. Sur quel ton parle-t-elle à Nantas ? Quel en est l'intérêt ?

Le point de vue

15 Quel point de vue le narrateur adopte-t-il pour présenter les lieux et pour présenter le personnage de Nantas ? Justifiez votre réponse.

16 **a.** Quel point de vue adopte-t-il lorsqu'il retranscrit les pensées de Nantas l. 102 (expliquez le point d'exclamation), l. 110 à 112 et l. 125 ?

b. Citez d'autres exemples qui présentent le même point de vue.

La structure, les effets d'annonce, les répétitions

17 **a.** En quoi les lignes 1 à 73 constituent-elles la situation initiale ?

b. « Un soir… » (l. 74) : en quoi l'action est-elle déclenchée à partir de ce moment ? Montrez qu'elle prend une tournure tragique.

c. Relevez le mot qui introduit un coup de théâtre. Montrez que l'action prend à partir de là un tournant nouveau.

18 À quelle ligne le lecteur apprend-il l'existence d'une jeune fille blonde ? À quel moment du parcours de Nantas ? En quoi y a-t-il effet d'annonce ?

19 Les répétitions : le motif de la fenêtre

Les répétitions ponctuent un récit et en marquent l'unité. Elles présentent des situations ou des motifs semblables. Elles peuvent aussi mettre en valeur des différences ou des oppositions entre deux situations.

Dans quelle attitude Nantas est-il présenté au début de la nouvelle ? Dans quelle attitude est-il à la fin du premier chapitre ? En quoi son état d'esprit a-t-il changé ?

Le rythme narratif : sommaire, scène, ellipse, fréquence

La fréquence : le plus souvent, le narrateur mentionne une fois ce qui s'est passé une fois dans la fiction (utilisation du passé simple pour un récit au passé). Il peut aussi mentionner une fois ce qui s'est passé plusieurs fois dans la fiction (utilisation de l'imparfait de répétition).

20 Relevez des exemples de passages dans lesquels :
– le narrateur présente un résumé des événements (sommaires) vécus par Nantas ; pourquoi ne s'attarde-t-il pas plus à les raconter ?
– il mentionne des actions qui se sont produites de façon habituelle.
21 Relevez une ellipse. Quelle en est la durée ?
22 Quel passage constitue une scène ? Pour quelle raison le narrateur s'attarde-t-il sur ce moment de l'action ?

De la réalité à la vision : les symboles

23 **a.** Quel temps fait-il durant la journée où Nantas traverse Paris pour rechercher un emploi ? Appuyez-vous sur un champ lexical.
b. En quoi y a-t-il correspondance entre les conditions climatiques, l'état intérieur du personnage et son état physique ?
24 **a.** Relevez les notations d'éclairage l. 126 à 129. En quoi revêtent-elles une dimension symbolique ?
b. Relisez les lignes 260 à 274. Montrez à partir d'exemples précis qu'il y a correspondance entre le paysage et l'état d'esprit de Nantas.

La visée et les hypothèses de lecture

25 En quoi ce premier chapitre tient-il le lecteur en haleine et l'incite-t-il à poursuivre sa lecture ? À quelle suite peut-on s'attendre ?

Écrire

Rédiger un incipit
26 Rédigez l'incipit d'une nouvelle sur le modèle de « Nantas ». Vous présenterez le lieu dans lequel vit un personnage, puis vous le présenterez à sa fenêtre et décrirez ce qu'il voit.

II

275   Le baron Danvilliers était dans le salon qui lui servait de cabinet, une haute pièce sévère, tendue de cuir, garnie de meubles antiques. Depuis l'avant-veille, il restait comme foudroyé par l'histoire que Mlle Chuin lui avait contée du déshonneur de Flavie. Elle avait eu beau amener les faits de 280   loin, les adoucir, le vieillard était tombé sous le coup, et seule la pensée que le séducteur pouvait offrir une suprême réparation, le tenait debout encore. Ce matin-là, il attendait la visite de cet homme qu'il ne connaissait point et qui lui prenait ainsi sa fille. Il sonna.

285   « Joseph, il va venir un jeune homme que vous introduirez… Je n'y suis pour personne autre. »

Et il songeait amèrement, seul au coin de son feu. Le fils d'un maçon, un meurt-de-faim qui n'avait aucune situation avouable ! Mlle Chuin le donnait bien comme un garçon 290   d'avenir, mais que de honte, dans une famille où il n'y avait pas eu une tache jusque-là ! Flavie s'était accusée avec une sorte d'emportement, pour épargner à sa gouvernante le moindre reproche. Depuis cette explication pénible, elle gardait la chambre, le baron avait refusé de la revoir. Il voulait, avant 295   de pardonner, régler lui-même cette abominable affaire. Toutes ses dispositions étaient prises. Mais ses cheveux avaient achevé de blanchir, un tremblement sénile agitait sa tête.

« Monsieur Nantas », annonça Joseph.

Le baron ne se leva pas. Il tourna seulement la tête et regarda 300   fixement Nantas qui s'avançait. Celui-ci avait eu l'intelligence de ne pas céder au désir de s'habiller de neuf ; il avait acheté une redingote et un pantalon noir encore propres, mais très râpés ; et cela lui donnait l'apparence d'un étudiant pauvre et soigneux, ne sentant en rien l'aventurier. Il s'arrêta au milieu 305   de la pièce, et attendit, debout, sans humilité pourtant.

« C'est donc vous, monsieur », bégaya le vieillard.

Mais il ne put continuer, l'émotion l'étranglait ; il craignait de céder à quelque violence. Après un silence, il dit simplement :

« Monsieur, vous avez commis une mauvaise action. »

310 Et, comme Nantas allait s'excuser, il répéta avec plus de force :

« Une mauvaise action… Je ne veux rien savoir, je vous prie de ne pas chercher à m'expliquer les choses. Ma fille se serait jetée à votre cou, que votre crime resterait le même…

315 Il n'y a que les voleurs qui s'introduisent ainsi violemment dans les familles. »

Nantas avait de nouveau baissé la tête.

« C'est une dot[1] gagnée aisément, c'est un guet-apens où vous étiez certain de prendre la fille et le père…

320 – Permettez, monsieur », interrompit le jeune homme qui se révoltait.

Mais le baron eut un geste terrible.

« Quoi ? que voulez-vous que je permette ?… Ce n'est pas à vous de parler ici. Je vous dis ce que je dois vous dire et ce

325 que vous devez entendre, puisque vous venez à moi comme un coupable… Vous m'avez outragé[2]. Voyez cette maison, notre famille y a vécu pendant plus de trois siècles sans une souillure ; n'y sentez-vous pas un honneur séculaire, une tradition de dignité et de respect ? Eh bien ! monsieur, vous avez

330 souffleté tout cela. J'ai failli en mourir, et aujourd'hui mes mains tremblent, comme si j'avais brusquement vieilli de dix ans… Taisez-vous et écoutez-moi. »

Nantas était devenu très pâle. Il avait accepté là un rôle bien lourd. Pourtant, il voulut prétexter l'aveuglement de la passion.

335 « J'ai perdu la tête, murmura-t-il en tâchant d'inventer un roman. Je n'ai pu voir Mlle Flavie… »

| **1.** Bien qu'apporte une femme en mariage. | **2.** Offensé, insulté.

Au nom de sa fille, le baron se leva et cria d'une voix de tonnerre :

« Taisez-vous ! Je vous ai dit que je ne voulais rien savoir.
340 Que ma fille soit allée vous chercher, ou que ce soit vous qui soyez venu à elle, cela ne me regarde pas. Je ne lui ai rien demandé, je ne vous demande rien. Gardez tous les deux vos confessions, c'est une ordure où je n'entrerai pas. »

Il se rassit, tremblant, épuisé. Nantas s'inclinait, troublé
345 profondément, malgré l'empire qu'il avait sur lui-même. Au bout d'un silence, le vieillard reprit de la voix sèche d'un homme qui traite une affaire :

« Je vous demande pardon, monsieur. Je m'étais promis de garder mon sang-froid. Ce n'est pas vous qui m'appartenez,
350 c'est moi qui vous appartiens, puisque je suis à votre discrétion. Vous êtes ici pour m'offrir une transaction[3] devenue nécessaire. Transigeons, monsieur. »

Et il affecta dès lors de parler comme un avoué[4] qui arrange à l'amiable quelque procès honteux, où il ne met les mains
355 qu'avec dégoût. Il disait posément :

« Mlle Flavie Danvilliers a hérité, à la mort de sa mère, d'une somme de deux cent mille francs, qu'elle ne devait toucher que le jour de son mariage. Cette somme a déjà produit des intérêts. Voici, d'ailleurs, mes comptes de tutelle[5], que je veux
360 vous communiquer. »

Il avait ouvert un dossier, il lut des chiffres. Nantas tenta vainement de l'arrêter. Maintenant, une émotion le prenait, en face de ce vieillard, si droit et si simple, qui lui paraissait très grand, depuis qu'il était calme.

365 « Enfin, conclut celui-ci, je vous reconnais dans le contrat que mon notaire a dressé ce matin, un apport de deux cent mille

---

3. Accord conclu sur la base de concessions réciproques.
4. Représentant en justice.

5. Argent disponible pour subvenir aux besoins d'une personne, mais géré par un tiers.

francs. Je sais que vous n'avez rien. Vous toucherez les deux
cent mille francs chez mon banquier, le lendemain du mariage.

– Mais, monsieur, dit Nantas, je ne vous demande pas votre
370 argent, je ne veux que votre fille... »

Le baron lui coupa la parole.

« Vous n'avez pas le droit de refuser, et ma fille ne saurait
épouser un homme moins riche qu'elle... Je vous donne la dot
que je lui destinais, voilà tout. Peut-être aviez-vous compté
375 trouver davantage, mais on me croit plus riche que je ne le
suis réellement, monsieur. »

Et, comme le jeune homme restait muet sous cette dernière
cruauté, le baron termina l'entrevue, en sonnant le domestique.

« Joseph, dites à mademoiselle que je l'attends tout de suite
380 dans mon cabinet. »

Il s'était levé, il ne prononça plus un mot, marchant lentement.
Nantas demeurait debout et immobile. Il trompait ce vieillard,
il se sentait petit et sans force devant lui. Enfin, Flavie entra.

« Ma fille, dit le baron, voici cet homme. Le mariage aura
385 lieu dans le délai légal. »

Et il s'en alla, il les laissa seuls, comme si, pour lui, le mariage
était conclu. Quand la porte se fut refermée, un silence régna.
Nantas et Flavie se regardaient. Ils ne s'étaient point vus
encore. Elle lui parut très belle, avec son visage pâle et hautain,
390 dont les grands yeux gris ne se baissaient pas. Peut-être avait-
elle pleuré depuis trois jours qu'elle n'avait pas quitté sa
chambre ; mais la froideur de ses joues devait avoir glacé ses
larmes. Ce fut elle qui parla la première.

« Alors, monsieur, cette affaire est terminée ?
395 – Oui, madame », répondit simplement Nantas.

Elle eut une moue[6] involontaire, en l'enveloppant d'un long
regard, qui semblait chercher en lui sa bassesse.

---

6. Grimace faite par déplaisir, en allongeant les lèvres.

« Allons, tant mieux, reprit-elle. Je craignais de ne trouver personne pour un tel marché. »

400   Nantas sentit, à sa voix, tout le mépris dont elle l'accablait. Mais il releva la tête. S'il avait tremblé devant le père, en sachant qu'il le trompait, il entendait être solide et carré en face de la fille, qui était sa complice.

« Pardon, madame, dit-il tranquillement, avec une grande
405   politesse, je crois que vous vous méprenez[7] sur la situation que nous fait à tous deux ce que vous venez d'appeler très justement un marché. J'entends que, dès aujourd'hui, nous nous mettions sur un pied d'égalité…

– Ah ! vraiment, interrompit Flavie, avec un sourire dédai-
410   gneux.

– Oui, sur un pied d'égalité complète… Vous avez besoin d'un nom pour cacher une faute que je ne me permets pas de juger, et je vous donne le mien. De mon côté, j'ai besoin d'une mise de fonds, d'une certaine position sociale, pour mener à
415   bien de grandes entreprises, et vous m'apportez ces fonds. Nous sommes dès aujourd'hui deux associés dont les apports se balancent, nous avons seulement à nous remercier pour le service que nous nous rendons mutuellement. »

Elle ne souriait plus. Un pli d'orgueil irrité lui barrait le front.
420   Pourtant, elle ne répondit pas. Au bout d'un silence, elle reprit :

« Vous connaissez mes conditions ?

– Non, madame, dit Nantas, qui conservait un calme parfait. Veuillez me les dicter, et je m'y soumets d'avance. »

Alors, elle s'exprima nettement, sans une hésitation ni une
425   rougeur.

« Vous ne serez jamais que mon mari de nom. Nos vies resteront complètement distinctes et séparées. Vous abandonnerez tous vos droits sur moi, et je n'aurai aucun devoir envers vous. »

| 7. Vous vous trompez.

À chaque phrase, Nantas acceptait d'un signe de tête. C'était
430 bien là ce qu'il désirait. Il ajouta :

« Si je croyais devoir être galant, je vous dirais que des conditions si dures me désespèrent. Mais nous sommes au-dessus
de compliments aussi fades. Je suis très heureux de vous voir
le courage de nos situations respectives. Nous entrons dans la
435 vie par un sentier où l'on ne cueille pas de fleurs… Je ne vous
demande qu'une chose, madame, c'est de ne point user de la
liberté que je vous laisse, de façon à rendre mon intervention
nécessaire.

– Monsieur ! » dit violemment Flavie, dont l'orgueil se
440 révolta.

Mais il s'inclina respectueusement, en la suppliant de ne
point se blesser. Leur position était délicate, ils devaient tous
deux tolérer certaines allusions, sans quoi la bonne entente
devenait impossible. Il évita d'insister davantage. Mlle Chuin,
445 dans une seconde entrevue, lui avait conté la faute de Flavie.
Son séducteur était un certain M. des Fondettes, le mari d'une
de ses amies de couvent. Comme elle passait un mois chez eux,
à la campagne, elle s'était trouvée un soir entre les bras de
cet homme, sans savoir au juste comment cela avait pu se faire
450 et jusqu'à quel point elle était consentante. Mlle Chuin parlait
presque d'un viol.

Brusquement, Nantas eut un mouvement amical. Ainsi que
tous les gens qui ont conscience de leur force, il aimait à être
bonhomme.

455 « Tenez ! madame, s'écria-t-il, nous ne nous connaissons
pas ; mais nous aurions vraiment tort de nous détester ainsi,
à première vue. Peut-être sommes-nous faits pour nous
entendre… Je vois bien que vous me méprisez ; c'est que vous
ignorez mon histoire. »

460 Et il parla avec fièvre, se passionnant, disant sa vie dévorée
d'ambition, à Marseille, expliquant la rage de ses deux mois

de démarches inutiles dans Paris. Puis, il montra son dédain de ce qu'il nommait les conventions sociales, où patauge le commun des hommes. Qu'importait le jugement de la foule,
465 quand on posait le pied sur elle ! Il s'agissait d'être supérieur. La toute-puissance excusait tout. Et, à grands traits, il peignit la vie souveraine qu'il saurait se faire. Il ne craignait plus aucun obstacle, rien ne prévalait contre la force. Il serait fort, il serait heureux.

470   « Ne me croyez pas platement intéressé, ajouta-t-il. Je ne me vends pas pour votre fortune. Je ne prends votre argent que comme un moyen de monter très haut… Oh ! si vous saviez tout ce qui gronde en moi, si vous saviez les nuits ardentes que j'ai passées à refaire toujours le même rêve, sans cesse emporté
475 par la réalité du lendemain, vous me comprendriez, vous seriez peut-être fière de vous appuyer à mon bras, en vous disant que vous me fournissez enfin les moyens d'être quelqu'un ! »

Elle l'écoutait toute droite, pas un trait de son visage ne remuait. Et lui se posait une question qu'il retournait depuis
480 trois jours, sans pouvoir trouver la réponse : l'avait-elle remarqué à sa fenêtre, pour avoir accepté si vite le projet de Mlle Chuin, lorsque celle-ci l'avait nommé ? Il lui vint la pensée singulière[8] qu'elle se serait peut-être mise à l'aimer d'un amour romanesque, s'il avait refusé avec indignation le marché que
485 la gouvernante était venue lui offrir.

Il se tut, et Flavie resta glacée. Puis, comme s'il ne lui avait pas fait sa confession, elle répéta sèchement :

« Ainsi, mon mari de nom seulement, nos vies complètement distinctes, une liberté absolue. »

490 Nantas reprit aussitôt son air cérémonieux, sa voix brève d'homme qui discute un traité.

« C'est signé, madame. »

| **8.** Étrange, extraordinaire, bizarre, originale.

Et il se retira, mécontent de lui. Comment avait-il pu céder
à l'envie bête de convaincre cette femme ? Elle était très belle,
495 il valait mieux qu'il n'y eût rien de commun entre eux, car elle
pouvait le gêner dans la vie.

III

Dix années s'étaient écoulées. Un matin, Nantas se trouvait
dans le cabinet où le baron Danvilliers l'avait autrefois si rudement accueilli, lors de leur première entrevue. Maintenant, ce
500 cabinet était le sien ; le baron, après s'être réconcilié avec sa
fille et son gendre, leur avait abandonné l'hôtel, en ne se réser-
vant qu'un pavillon situé à l'autre bout du jardin, sur la rue
de Beaune. En dix ans, Nantas venait de conquérir une des
plus hautes situations financières et industrielles. Mêlé à toutes
505 les grandes entreprises de chemins de fer, lancé dans toutes les
spéculations[9] sur les terrains qui signalèrent les premières
années de l'Empire, il avait réalisé rapidement une fortune
immense. Mais son ambition ne se bornait pas là, il voulait
jouer un rôle politique, et il avait réussi à se faire nommer
510 député, dans un département où il possédait plusieurs fermes.
Dès son arrivée au Corps législatif, il s'était posé en futur
ministre des Finances. Par ses connaissances spéciales et sa
facilité de parole, il y prenait de jour en jour une place plus
importante. Du reste, il montrait adroitement un dévouement
515 absolu à l'Empire, tout en ayant en matière de finances des
théories personnelles, qui faisaient grand bruit et qu'il savait
préoccuper beaucoup l'empereur.

9. Opérations sur des biens meubles ou immeubles en vue d'obtenir un gain d'argent
de leur revente ou de leur exploitation.

Ce matin-là, Nantas était accablé d'affaires. Dans les vastes bureaux qu'il avait installés au rez-de-chaussée de l'hôtel,
520 régnait une activité prodigieuse. C'était un monde d'employés, les uns immobiles derrière des guichets, les autres allant et venant sans cesse, faisant battre les portes ; c'était un bruit d'or continu, des sacs ouverts et coulant sur les tables, la musique toujours sonnante d'une caisse dont le flot semblait
525 devoir noyer les rues. Puis, dans l'antichambre[10], une cohue se pressait, des solliciteurs[11], des hommes d'affaires, des hommes politiques, tout Paris à genoux devant la puissance.

Un hôtel particulier au XIXᵉ siècle.

10. Vestibule, salle d'attente à l'entrée d'un appartement ou d'un bureau.
11. Personnes qui demandent une faveur.

Souvent, de grands personnages attendaient là patiemment pendant une heure. Et lui, assis à son bureau, en correspon-
530 dance avec la province et l'étranger, pouvant de ses bras étendus étreindre[12] le monde, réalisait enfin son ancien rêve de force, se sentait le moteur intelligent d'une colossale machine qui remuait les royaumes et les empires.

Nantas sonna l'huissier[13] qui gardait sa porte. Il paraissait
535 soucieux.

« Germain, demanda-t-il, savez-vous si madame est rentrée ? »

Et, comme l'huissier répondait qu'il l'ignorait, il lui commanda de faire descendre la femme de chambre de
540 madame. Mais Germain ne se retirait pas.

« Pardon, monsieur, murmura-t-il, il y a là M. le président du Corps législatif qui insiste pour entrer. »

Alors, il eut un geste d'humeur, en disant :

« Eh bien ! introduisez-le, et faites ce que je vous ai ordonné. »
545 La veille, sur une question capitale du budget, un discours de Nantas avait produit une impression telle, que l'article en discussion avait été envoyé à la commission, pour être amendé[14] dans le sens indiqué par lui. Après la séance, le bruit s'était répandu que le ministre des Finances allait se retirer,
550 et l'on désignait déjà dans les groupes le jeune député comme son successeur. Lui, haussait les épaules : rien n'était fait, il n'avait eu avec l'empereur qu'un entretien sur des points spéciaux. Pourtant, la visite du président du Corps législatif pouvait être grosse de signification. Il parut secouer la préoc-
555 cupation qui l'assombrissait, il se leva et alla serrer les mains du président.

---

12. Serrer fortement, en entourant avec ses membres.
13. Gardien qui se tient à la porte d'un haut personnage pour annoncer et introduire les visiteurs.
14. Rendu meilleur, modifié.

« Ah ! monsieur le duc, dit-il, je vous demande pardon. J'ignorais que vous fussiez là… Croyez que je suis bien touché de l'honneur que vous me faites. »

560 Un instant, ils causèrent à bâtons rompus, sur un ton de cordialité[15]. Puis, le président, sans rien lâcher de net, lui fit entendre qu'il était envoyé par l'empereur, pour le sonder[16]. Accepterait-il le portefeuille des Finances, et avec quel programme ? Alors, lui, superbe[17] de sang-froid, posa ses conditions. Mais, sous l'im-

565 passibilité[18] de son visage, un grondement de triomphe montait. Enfin, il gravissait le dernier échelon, il était au sommet. Encore un pas, il allait avoir toutes les têtes au-dessous de lui. Comme le président concluait, en disant qu'il se rendait à l'instant même chez l'empereur, pour lui communiquer le programme débattu,

570 une petite porte donnant sur les appartements s'ouvrit, et la femme de chambre de madame parut.

Nantas, tout d'un coup redevenu blême[19], n'acheva pas la phrase qu'il prononçait. Il courut à cette femme, en murmurant :

« Excusez-moi, monsieur le duc… »

575 Et, tout bas, il l'interrogea. Madame était donc sortie de bonne heure ? Avait-elle dit où elle allait ? Quand devait-elle rentrer ? La femme de chambre répondait par des paroles vagues, en fille intelligente qui ne veut pas se compromettre. Ayant compris la naïveté de cet interrogatoire, il finit par

580 dire simplement :

« Dès que madame rentrera, prévenez-la que je désire lui parler. »

Le duc, surpris, s'était approché d'une fenêtre et regardait dans la cour. Nantas revint à lui, en s'excusant de nouveau.

---

15. Sentiment de bienveillance, qui part du cœur.
16. Chercher à connaître ses pensées, ses intentions.

17. Beau, magnifique, de somptueuse apparence, voire orgueilleux.
18. État de celui qui reste insensible à la douleur ou aux émotions.
19. Très pâle, blafard, blanc.

585 Mais il avait perdu son sang-froid, il balbutia, il l'étonna par
des paroles peu adroites.

« Allons, j'ai gâté mon affaire, laissa-t-il échapper tout haut,
lorsque le président ne fut plus là. Voilà un portefeuille qui va
m'échapper. »

590 Et il resta dans un état de malaise, coupé d'accès de colère.
Plusieurs personnes furent introduites. Un ingénieur avait à
lui présenter un rapport qui annonçait des bénéfices énormes
dans une exploitation de mine. Un diplomate l'entretint d'un
emprunt qu'une puissance voisine voulait ouvrir à Paris. Des

595 créatures défilèrent, lui rendirent des comptes sur vingt affaires
considérables. Enfin, il reçut un grand nombre de ses collègues
de la Chambre ; tous se répandaient en éloges outrés[20] sur son
discours de la veille. Lui, renversé au fond de son fauteuil,
acceptait cet encens[21], sans un sourire. Le bruit de l'or conti-

600 nuait dans les bureaux voisins, une trépidation[22] d'usine faisait
trembler les murs, comme si on eût fabriqué là tout cet or
qui sonnait. Il n'avait qu'à prendre une plume pour expédier
des dépêches dont l'arrivée aurait réjoui ou consterné les
marchés de l'Europe ; il pouvait empêcher ou précipiter la

605 guerre, en appuyant ou en combattant l'emprunt dont on lui
avait parlé ; même il tenait le budget de la France dans sa main,
il saurait bientôt s'il serait pour ou contre l'Empire. C'était
le triomphe, sa personnalité développée outre mesure devenait le centre autour duquel tournait un monde. Et il ne goûtait

610 point ce triomphe, ainsi qu'il se l'était promis. Il éprouvait une
lassitude, l'esprit autre part, tressaillant au moindre bruit.
Lorsqu'une flamme, une fièvre d'ambition satisfaite montait
à ses joues, il se sentait tout de suite pâlir, comme si par-
derrière, brusquement, une main froide l'eût touché à la nuque.

---

20. Félicitations ou compliments
exagérés qui manquent de sincérité.

21. Louange, flatterie (sens figuré).
22. Tremblement.

615 Deux heures s'étaient passées, et Flavie n'avait pas encore
paru. Nantas appela Germain pour le charger d'aller chercher
M. Danvilliers, si le baron se trouvait chez lui. Resté seul, il
marcha dans son cabinet, en refusant de recevoir davantage
ce jour-là. Peu à peu, son agitation avait grandi. Évidemment,
620 sa femme était à quelque rendez-vous. Elle devait avoir renoué
avec M. des Fondettes, qui était veuf depuis six mois. Certes,
Nantas se défendait d'être jaloux ; pendant dix années, il avait
strictement observé le traité conclu ; seulement, il entendait,
disait-il, ne pas être ridicule. Jamais il ne permettrait à sa femme
625 de compromettre sa situation, en le rendant la moquerie de
tous. Et sa force l'abandonnait, ce sentiment de mari qui veut
simplement être respecté l'envahissait d'un tel trouble, qu'il
n'en avait pas éprouvé de pareil, même lorsqu'il jouait les
coups de cartes les plus hasardés, dans les commencements de
630 sa fortune.

Flavie entra, encore en toilette de ville ; elle n'avait retiré que
son chapeau et ses gants. Nantas, dont la voix tremblait, lui
dit qu'il serait monté chez elle, si elle lui avait fait savoir qu'elle
était rentrée. Mais elle, sans s'asseoir, de l'air pressé d'une
635 cliente, eut un geste pour l'inviter à se hâter.

« Madame, commença-t-il, une explication est devenue
nécessaire entre nous... Où êtes-vous allée ce matin ? »

La voix frémissante de son mari, la brutalité de sa question,
la surprirent extrêmement.

640 « Mais, répondit-elle d'un ton froid, où il m'a plu d'aller.

– Justement, c'est ce qui ne saurait me convenir désormais,
reprit-il en devenant très pâle. Vous devez vous souvenir de
ce que je vous ai dit, je ne tolérerai pas que vous usiez de la
liberté que je vous laisse, de façon à déshonorer mon nom. »

645 Flavie eut un sourire de souverain mépris.

« Déshonorer votre nom, monsieur, mais cela vous regarde,
c'est une besogne qui n'est plus à faire. »

Alors, Nantas, dans un emportement[23] fou, s'avança comme s'il voulait la battre, bégayant :

650 « Malheureuse, vous sortez des bras de M. des Fondettes... Vous avez un amant, je le sais.

– Vous vous trompez, dit-elle sans reculer devant sa menace, je n'ai jamais revu M. des Fondettes... Mais j'aurais un amant que vous n'auriez pas à me le reprocher. Qu'est-ce que cela 655 pourrait vous faire ? Vous oubliez donc nos conventions[24]. »

Il la regarda un instant de ses yeux hagards ; puis, secoué de sanglots, mettant dans son cri une passion longtemps contenue, il s'abattit à ses pieds.

« Oh ! Flavie, je vous aime ! »

660 Elle, toute droite, s'écarta, parce qu'il avait touché le coin de sa robe. Mais le malheureux la suivait en se traînant sur les genoux, les mains tendues.

« Je vous aime, Flavie, je vous aime comme un fou... Cela est venu je ne sais comment. Il y a des années déjà. Et peu à 665 peu cela m'a pris tout entier. Oh ! j'ai lutté, je trouvais cette passion indigne de moi, je me rappelais notre premier entretien... Mais, aujourd'hui, je souffre trop, il faut que je vous parle... »

Longtemps, il continua. C'était l'effondrement de toutes ses 670 croyances. Cet homme qui avait mis sa foi dans la force, qui soutenait que la volonté est le seul levier capable de soulever le monde, tombait anéanti, faible comme un enfant, désarmé devant une femme. Et son rêve de fortune réalisé, sa haute situation conquise, il eût tout donné, pour que cette femme 675 le relevât d'un baiser au front. Elle lui gâtait son triomphe. Il n'entendait plus l'or qui sonnait dans ses bureaux, il ne songeait plus au défilé des courtisans qui venaient de le saluer, il oubliait que l'empereur, en ce moment, l'appelait peut-être

---

23. Colère.   **24.** Règles établies.

au pouvoir. Ces choses n'existaient pas. Il avait tout, et il ne
680 voulait que Flavie. Si Flavie se refusait, il n'avait rien.

« Écoutez, continua-t-il, ce que j'ai fait, je l'ai fait pour vous…
D'abord, c'est vrai, vous ne comptiez pas, je travaillais pour
la satisfaction de mon orgueil. Puis, vous êtes devenue l'unique
but de toutes mes pensées, de tous mes efforts. Je me disais que
685 je devais monter le plus haut possible, afin de vous mériter.
J'espérais vous fléchir, le jour où je mettrais à vos pieds ma
puissance. Voyez où je suis aujourd'hui. N'ai-je pas gagné votre
pardon ? Ne me méprisez plus, je vous en conjure ! »

Elle n'avait pas encore parlé. Elle dit tranquillement :
690 « Relevez-vous, monsieur, on pourrait entrer. »

Il refusa, il la supplia encore. Peut-être aurait-il attendu, s'il
n'avait pas été jaloux de M. des Fondettes. C'était un tour-
ment qui l'affolait. Puis, il se fit très humble.

« Je vois bien que vous me méprisez toujours. Eh bien !
695 attendez, ne donnez votre amour à personne. Je vous promets
de si grandes choses, que je saurais bien vous fléchir. Il faut me
pardonner, si j'ai été brutal tout à l'heure. Je n'ai plus la tête à
moi… Oh ! laissez-moi espérer que vous m'aimerez un jour !

– Jamais », prononça-t-elle avec énergie.
700 Et, comme il restait par terre, écrasé, elle voulut sortir. Mais,
lui, la tête perdue, pris d'un accès de rage, se leva et la saisit
aux poignets. Une femme le braverait[25] ainsi, lorsque le monde
était à ses pieds ! Il pouvait tout, bouleverser les États, conduire
la France à son gré, et il ne pourrait obtenir l'amour de sa
705 femme ! Lui, si fort, si puissant, lui dont les moindres désirs
étaient des ordres, il n'avait plus qu'un désir, et ce désir ne
serait jamais contenté, parce qu'une créature, d'une faiblesse
d'enfant, refusait ! Il lui serrait les bras, il répétait d'une voix
rauque :

25. Affronterait.

710 « Je veux… je veux…

– Et moi je ne veux pas », disait Flavie toute blanche et raidie dans sa volonté.

La lutte continuait, lorsque le baron Danvilliers ouvrit la porte. À sa vue, Nantas lâcha Flavie et s'écria :

715 « Monsieur, voici votre fille qui revient de chez son amant… Dites-lui donc qu'une femme doit respecter le nom de son mari, même lorsqu'elle ne l'aime pas et que la pensée de son propre honneur ne l'arrête plus. »

Le baron, très vieilli, restait debout sur le seuil, devant cette
720 scène de violence. C'était pour lui une surprise douloureuse. Il croyait le ménage uni, il approuvait les rapports cérémonieux des deux époux, pensant qu'il n'y avait là qu'une tenue de convenance. Son gendre et lui étaient de deux générations différentes ; mais, s'il était blessé par l'activité peu scrupuleuse
725 du financier, s'il condamnait certaines entreprises qu'il traitait de casse-cou, il avait dû reconnaître la force de sa volonté et sa vive intelligence. Et, brusquement, il tombait dans ce drame, qu'il ne soupçonnait pas.

Lorsque Nantas accusa Flavie d'avoir un amant, le baron,
730 qui traitait encore sa fille mariée avec la sévérité qu'il avait pour elle à dix ans, s'avança de son pas de vieillard solennel.

« Je vous jure qu'elle sort de chez son amant, répétait Nantas, et vous la voyez ! elle est là qui me brave. »

Flavie, dédaigneuse, avait tourné la tête. Elle arrangeait ses
735 manchettes, que la brutalité de son mari avait froissées. Pas une rougeur n'était montée à son visage. Cependant, son père lui parlait.

« Ma fille, pourquoi ne vous défendez-vous pas ? Votre mari dirait-il la vérité ? Auriez-vous réservé cette dernière douleur
740 à ma vieillesse ?… L'affront serait aussi pour moi ; car, dans une famille, la faute d'un seul membre suffit à salir tous les autres. »

Alors, elle eut un mouvement d'impatience. Son père prenait bien son temps pour l'accuser ! Un instant encore, elle supporta son interrogatoire, voulant lui épargner la honte d'une explication. Mais, comme il s'emportait à son tour, en la voyant muette et provocante, elle finit par dire :

« Eh ! mon père, laissez cet homme jouer son rôle... Vous ne le connaissez pas. Ne me forcez point à parler par respect pour vous.

– Il est votre mari, reprit le vieillard. Il est le père de votre enfant. »

Flavie s'était redressée, frémissante.

« Non, non, il n'est pas le père de mon enfant... À la fin, je vous dirai tout. Cet homme n'est pas même un séducteur, car ce serait une excuse au moins, s'il m'avait aimée. Cet homme s'est simplement vendu et a consenti à couvrir la faute d'un autre. »

Le baron se tourna vers Nantas, qui, livide[26], reculait.

« Entendez-vous, mon père ! reprenait Flavie avec plus de force, il s'est vendu, vendu pour de l'argent... Je ne l'ai jamais aimé, il ne m'a jamais touchée du bout de ses doigts... J'ai voulu vous épargner une grande douleur, je l'ai acheté afin qu'il vous mentît... Regardez-le, voyez si je dis la vérité. »

Nantas se cachait la face entre les mains.

« Et, aujourd'hui, continua la jeune femme, voilà qu'il veut que je l'aime... Il s'est mis à genoux et il a pleuré. Quelque comédie sans doute. Pardonnez-moi de vous avoir trompé, mon père ; mais, vraiment, est-ce que j'appartiens à cet homme ?... Maintenant que vous savez tout, emmenez-moi. Il m'a violentée tout à l'heure, je ne resterai pas ici une minute de plus. »

Le baron redressa sa taille courbée. Et, silencieux, il alla donner le bras à sa fille. Tous deux traversèrent la pièce, sans

---

26. Très pâle, très blanc.

que Nantas fît un geste pour les retenir. Puis, à la porte, le
775 vieillard ne laissa tomber que cette parole :

« Adieu, monsieur. »

La porte s'était refermée. Nantas restait seul, écrasé, regardant follement le vide autour de lui. Comme Germain venait d'entrer et de poser une lettre sur le bureau, il l'ouvrit machi-
780 nalement et la parcourut des yeux. Cette lettre, entièrement écrite de la main de l'empereur, l'appelait au ministère des Finances, en termes très obligeants[27]. Il comprit à peine. La réalisation de toutes ses ambitions ne le touchait plus. Dans les caisses voisines, le bruit de l'or avait augmenté ; c'était
785 l'heure où la maison Nantas ronflait, donnant le branle à tout un monde. Et lui, au milieu de ce labeur[28] colossal qui était son œuvre, dans l'apogée[29] de sa puissance, les yeux stupidement fixés sur l'écriture de l'empereur, poussa cette plainte d'enfant, qui était la négation de sa vie entière :

790 « Je ne suis pas heureux… Je ne suis pas heureux… »

Il pleurait, la tête tombée sur son bureau, et ses larmes chaudes effaçaient la lettre qui le nommait ministre.

IV

Depuis dix-huit mois que Nantas était ministre des finances, il semblait s'étourdir par un travail surhumain. Au lendemain
795 de la scène de violence qui s'était passée dans son cabinet, il avait eu avec le baron Danvilliers une entrevue ; et, sur les conseils de son père, Flavie avait consenti à rentrer au domicile conjugal. Mais les époux ne s'adressaient plus la parole, en dehors de la comédie qu'ils devaient jouer devant le monde.
800 Nantas avait décidé qu'il ne quitterait pas son hôtel. Le soir, il amenait ses secrétaires et expédiait chez lui la besogne.

---

27. Pleins d'amabilité.　　**28.** Travail difficile.　　**29.** Sommet.

Ce fut l'époque de son existence où il fit les plus grandes choses. Une voix lui soufflait des inspirations hautes et fécondes. Sur son passage, un murmure de sympathie et d'ad-
805 miration s'élevait. Mais lui restait insensible aux éloges. On eût dit qu'il travaillait sans espoir de récompense, avec la pensée d'entasser les œuvres dans le but unique de tenter l'impossible. Chaque fois qu'il montait plus haut, il consultait le visage de Flavie. Est-ce qu'elle était touchée enfin ? Est-ce
810 qu'elle lui pardonnait son ancienne infamie, pour ne plus voir que le développement de son intelligence ? Et il ne surprenait toujours aucune émotion sur le visage muet de cette femme, et il se disait, en se remettant au travail : « Allons ! je ne suis point assez haut pour elle, il faut monter encore, monter sans
815 cesse. » Il entendait forcer le bonheur, comme il avait forcé la fortune. Toute sa croyance en sa force lui revenait, il n'admettait pas d'autre levier[30] en ce monde, car c'est la volonté de la vie qui a fait l'humanité. Quand le découragement le prenait parfois, il s'enfermait pour que personne ne pût se
820 douter des faiblesses de sa chair. On ne devinait ses luttes qu'à ses yeux plus profonds, cerclés de noir, et où brûlait une flamme intense.

La jalousie le dévorait maintenant. Ne pas réussir à se faire aimer de Flavie, était un supplice ; mais une rage l'affolait,
825 lorsqu'il songeait qu'elle pouvait se donner à un autre. Pour affirmer sa liberté, elle était capable de s'afficher avec M. des Fondettes. Il affectait[31] donc de ne point s'occuper d'elle, tout en agonisant d'angoisse à ses moindres absences. S'il n'avait pas craint le ridicule, il l'aurait suivie lui-même dans les rues.
830 Ce fut alors qu'il voulut avoir près d'elle une personne dont il achèterait le dévouement.

---

30. Barre rigide pouvant basculer autour d'un point fixe (ici, sens figuré). | **31.** Faisait semblant, feignait.

On avait conservé Mlle Chuin dans la maison. Le baron était habitué à elle. D'autre part, elle savait trop de choses pour qu'on pût s'en débarrasser. Un moment, la vieille fille avait eu le projet de se retirer avec les vingt mille francs que Nantas lui avait comptés, au lendemain de son mariage. Mais sans doute elle s'était dit que la maison devenait bonne pour y pêcher en eau trouble. Elle attendait donc une nouvelle occasion, ayant fait le calcul qu'il lui fallait encore une vingtaine de mille francs, si elle voulait acheter à Roinville, son pays, la maison du notaire, qui avait fait l'admiration de sa jeunesse.

Nantas n'avait pas à se gêner avec cette vieille fille, dont les mines confites en dévotion[32] ne pouvaient plus le tromper. Pourtant, le matin où il la fit venir dans son cabinet et où il lui proposa nettement de le tenir au courant des moindres actions de sa femme, elle feignit de se révolter, en lui demandant pour qui il la prenait.

« Voyons, mademoiselle, dit-il impatienté, je suis très pressé, on m'attend. Abrégeons, je vous prie. »

Mais elle ne voulait rien entendre, s'il n'y mettait des formes. Ses principes étaient que les choses ne sont pas laides en elles-mêmes, qu'elles le deviennent ou cessent de l'être, selon la façon dont on les présente.

« Eh bien ! reprit-il, il s'agit, mademoiselle, d'une bonne action... Je crains que ma femme ne me cache certains chagrins. Je la vois triste depuis quelques semaines, et j'ai songé à vous, pour obtenir des renseignements.

– Vous pouvez compter sur moi, dit-elle alors avec une effusion[33] maternelle. Je suis dévouée à madame, je ferai tout pour son honneur et le vôtre... Dès demain, nous veillerons sur elle. »

---

32. Imprégnées d'un attachement excessif, voire hypocrite à la religion.

33. Manifestation, communication de sentiments.

Il lui promit de la récompenser de ses services. Elle se fâcha d'abord. Puis, elle eut l'habileté de le forcer à fixer une somme : il lui donnerait dix mille francs, si elle lui fournissait une preuve formelle de la bonne ou de la mauvaise conduite de madame. Peu à peu, ils en étaient venus à préciser les choses.

Dès lors, Nantas se tourmenta moins. Trois mois s'écoulèrent, il se trouvait engagé dans une grosse besogne, la préparation du budget. D'accord avec l'empereur, il avait apporté au système financier d'importantes modifications. Il savait qu'il serait vivement attaqué à la Chambre, et il lui fallait préparer une quantité considérable de documents. Souvent il veillait des nuits entières. Cela l'étourdissait et le rendait patient. Quand il voyait Mlle Chuin, il l'interrogeait d'une voix brève. Savait-elle quelque chose ? Madame avait-elle fait beaucoup de visites ? S'était-elle particulièrement arrêtée dans certaines maisons ? Mlle Chuin tenait un journal détaillé. Mais elle n'avait encore recueilli que des faits sans importance. Nantas se rassurait, tandis que la vieille clignait les yeux parfois, en répétant que, bientôt peut-être, elle aurait du nouveau.

La vérité était que Mlle Chuin avait fortement réfléchi. Dix mille francs ne faisaient pas son compte, il lui en fallait vingt mille, pour acheter la maison de notaire. Elle eut d'abord l'idée de se vendre à la femme, après s'être vendue au mari. Mais elle connaissait madame, elle craignit d'être chassée au premier mot. Depuis longtemps, avant même qu'on la chargeât de cette besogne, elle l'avait espionnée pour son compte en se disant que les vices des maîtres sont la fortune des valets ; et elle s'était heurtée à une de ces honnêtetés d'autant plus solides, qu'elles s'appuient sur l'orgueil. Flavie gardait de sa faute une rancune à tous les hommes. Aussi Mlle Chuin se désespérait-elle, lorsqu'un jour elle rencontra M. des Fondettes. Il la questionna si vivement sur sa maîtresse, qu'elle comprit tout d'un coup qu'il la désirait follement, brûlé par le souvenir de la minute

95 où il l'avait tenue dans ses bras. Et son plan fut arrêté : servir
à la fois le mari et l'amant, là était la combinaison de génie.

Justement, tout venait à point. M. des Fondettes, repoussé,
désormais sans espoir, aurait donné sa fortune pour posséder
encore cette femme qui lui avait appartenu. Ce fut lui qui, le
100 premier, tâta Mlle Chuin. Il la revit, joua le sentiment, en jurant
qu'il se tuerait, si elle ne l'aidait pas. Au bout de huit jours,
après une grande dépense de sensibilité et de scrupules, l'affaire était faite : il donnerait dix mille francs, et elle, un soir,
le cacherait dans la chambre de Flavie.

105 Le matin, Mlle Chuin alla trouver Nantas.

« Qu'avez-vous appris ? » demanda-t-il en pâlissant.

Mais elle ne précisa rien d'abord. Madame avait pour sûr
une liaison. Même elle donnait des rendez-vous.

« Au fait, au fait », répétait-il, furieux d'impatience.

110 Enfin, elle nomma M. des Fondettes.

« Ce soir, il sera dans la chambre de madame.

– C'est bien, merci, balbutia Nantas.

Il la congédia[34] du geste, il avait peur de défaillir[35] devant
elle. Ce brusque renvoi l'étonnait et l'enchantait, car elle s'était
115 attendue à un long interrogatoire, et elle avait même préparé
sa réponse, pour ne pas s'embrouiller. Elle fit une révérence,
elle se retira, en prenant une figure dolente[36].

Nantas s'était levé. Dès qu'il fut seul, il parla tout haut.

« Ce soir… Dans sa chambre… »

120 Et il portait les mains à son crâne, comme s'il l'avait entendu
craquer. Ce rendez-vous, donné au domicile conjugal, lui
semblait monstrueux d'impudence. Il ne pouvait se laisser
outrager ainsi. Ses poings de lutteur se serraient, une rage le
faisait rêver d'assassinat. Pourtant, il avait à finir un travail.
125 Trois fois, il se rassit devant son bureau, et trois fois un

---

34. Renvoya. | **35.** S'évanouir. | **36.** Triste, plaintive.

soulèvement de tout son corps le remit debout; tandis que, derrière lui, quelque chose le poussait, un besoin de monter sur-le-champ[37] chez sa femme, pour la traiter de catin. Enfin, il se vainquit, il se remit à la besogne, en jurant qu'il les étran-
930 glerait, le soir. Ce fut la plus grande victoire qu'il remporta jamais sur lui-même.

L'après-midi, Nantas alla soumettre à l'empereur le projet définitif du budget. Celui-ci lui ayant fait quelques objections, il les discuta avec une lucidité parfaite. Mais il lui fallut
935 promettre de modifier toute une partie de son travail. Le projet devait être déposé le lendemain.

« Sire, je passerai la nuit », dit-il.

Et, en revenant, il pensait: « Je les tuerai à minuit, et j'aurai ensuite jusqu'au jour pour terminer ce travail. »

940 Le soir, au dîner, le baron Danvilliers causa précisément de ce projet de budget, qui faisait grand bruit. Lui, n'approuvait pas toutes les idées de son gendre en matière de finances. Mais il les trouvait très larges, très remarquables. Pendant qu'il répondait au baron, Nantas, à plusieurs reprises, crut
945 surprendre les yeux de sa femme fixés sur les siens. Souvent, maintenant, elle le regardait ainsi. Son regard ne s'attendrissait pas, elle l'écoutait simplement et semblait chercher à lire au-delà de son visage. Nantas pensa qu'elle craignait d'avoir été trahie. Aussi fit-il un effort pour paraître d'esprit dégagé:
950 il causa beaucoup, s'éleva très haut, finit par convaincre son beau-père, qui céda devant sa grande intelligence. Flavie le regardait toujours; et une mollesse à peine sensible avait un instant passé sur sa face.

Jusqu'à minuit, Nantas travailla dans son cabinet. Il s'était
955 passionné peu à peu, plus rien n'existait que cette création, ce mécanisme financier qu'il avait lentement construit, rouage à

---

37. Aussitôt, soudain.

rouage, au travers d'obstacles sans nombre. Quand la pendule sonna minuit, il leva instinctivement la tête. Un grand silence régnait dans l'hôtel. Tout d'un coup, il se souvint, l'adultère[38] était là, au fond de cette ombre et de ce silence. Mais ce fut pour lui une peine que de quitter son fauteuil : il posa la plume à regret, fit quelques pas comme pour obéir à une volonté ancienne, qu'il ne retrouvait plus. Puis, une chaleur lui empourpra la face, une flamme alluma ses yeux. Et il monta à l'appartement de sa femme.

Ce soir-là, Flavie avait congédié de bonne heure sa femme de chambre. Elle voulait être seule. Jusqu'à minuit, elle resta dans le petit salon qui précédait sa chambre à coucher. Allongée sur une causeuse, elle avait pris un livre ; mais, à chaque instant, le livre tombait de ses mains, et elle songeait, les yeux perdus. Son visage s'était encore adouci, un sourire pâle y passait par moments.

Elle se leva en sursaut. On avait frappé.

« Qui est là ?

— Ouvrez », répondit Nantas.

Ce fut pour elle une si grande surprise, qu'elle ouvrit machinalement. Jamais son mari ne s'était ainsi présenté chez elle. Il entra, bouleversé ; la colère l'avait repris, en montant. Mlle Chuin, qui le guettait sur le palier, venait de lui murmurer à l'oreille que M. des Fondettes était là depuis deux heures. Aussi ne montra-t-il aucun ménagement.

« Madame, dit-il, un homme est caché dans votre chambre. »

Flavie ne répondit pas tout de suite, tellement sa pensée était loin. Enfin, elle comprit.

« Vous êtes fou, monsieur », murmura-t-elle.

Mais, sans s'arrêter à discuter, il marchait déjà vers la chambre. Alors, d'un bond, elle se mit devant la porte, en criant :

---

38. Violation du devoir de fidélité né du mariage.

« Vous n'entrerez pas… Je suis ici chez moi, et je vous défends d'entrer ! »

990   Frémissante, grandie, elle gardait la porte. Un instant, ils restèrent immobiles, sans une parole, les yeux dans les yeux. Lui, le cou tendu, les mains en avant, allait se jeter sur elle, pour passer.

« Ôtez-vous de là, murmura-t-il d'une voix rauque. Je suis
995   plus fort que vous, j'entrerai quand même.

– Non, vous n'entrerez pas, je ne veux pas. »

Follement, il répétait :

« Il y a un homme, il y a un homme… »

Elle, ne daignant même pas lui donner un démenti[39], haus-
1000   sait les épaules. Puis, comme il faisait encore un pas :

« Eh bien ! mettons qu'il y ait un homme, qu'est-ce que cela peut vous faire ? Ne suis-je pas libre ? »

Il recula devant ce mot qui le cinglait comme un soufflet. En effet, elle était libre. Un grand froid le prit aux épaules, il sentit
1005   nettement qu'elle avait le rôle supérieur, et que lui jouait là une scène d'enfant malade et illogique. Il n'observait pas le traité, sa stupide passion le rendait odieux. Pourquoi n'était-il pas resté à travailler dans son cabinet ? Le sang se retirait de ses joues, une ombre d'indicible souffrance blêmit son visage. Lorsque Flavie
1010   remarqua le bouleversement qui se faisait en lui, elle s'écarta de la porte, tandis qu'une douceur attendrissait ses yeux.

« Voyez », dit-elle simplement.

Et elle-même entra dans la chambre, une lampe à la main, tandis que Nantas demeurait sur le seuil. D'un geste, il lui avait
1015   dit que c'était inutile, qu'il ne voulait pas voir. Mais elle, maintenant, insistait. Comme elle arrivait devant le lit, elle souleva les rideaux, et M. des Fondettes apparut, caché derrière. Ce fut pour elle une telle stupeur, qu'elle eut un cri d'épouvante.

---

39. Contradiction, dénégation de ce qu'un autre affirme.

« C'est vrai, balbutia-t-elle éperdue[40], c'est vrai, cet homme
20 était là... Je l'ignorais, oh! sur la vie, je vous le jure! »

Puis, par un effort de volonté, elle se calma, elle parut même
regretter ce premier mouvement qui venait de la pousser à se
défendre.

« Vous aviez raison, monsieur, et je vous demande pardon »,
25 dit-elle à Nantas, en tâchant de retrouver sa voix froide.

Cependant, M. des Fondettes se sentait ridicule. Il faisait une
mine sotte, il aurait donné beaucoup pour que le mari se fâchât.
Mais Nantas se taisait. Il était simplement devenu très pâle.
Quand il eut reporté ses regards de M. des Fondettes à Flavie,
30 il s'inclina devant cette dernière, en prononçant cette seule phrase :

« Madame, excusez-moi, vous êtes libre. »

Et il tourna le dos, il s'en alla. En lui, quelque chose venait
de se casser ; seul, le mécanisme des muscles et des os fonc-
tionnait encore. Lorsqu'il se retrouva dans son cabinet, il
35 marcha droit à un tiroir où il cachait un revolver. Après avoir
examiné cette arme, il dit tout haut, comme pour prendre un
engagement formel vis-à-vis de lui-même :

« Allons, c'est assez, je me tuerai tout à l'heure. »

Il remonta la lampe qui baissait, il s'assit devant son bureau
40 et se remit tranquillement à la besogne. Sans une hésitation,
au milieu du grand silence, il continua la phrase commencée.
Un à un, méthodiquement, les feuillets s'entassaient. Deux
heures plus tard, lorsque Flavie, qui avait chassé M. des
Fondettes, descendit pieds nus pour écouter à la porte du cabinet,
45 elle n'entendit que le petit bruit de la plume craquant sur le
papier. Alors, elle se pencha, elle mit un œil au trou de la serrure.
Nantas écrivait toujours avec le même calme, son visage exprimait la paix et la satisfaction du travail, tandis qu'un rayon de
la lampe allumait le canon du revolver, près de lui.

à suivre...

40. Troublée par une vive émotion.

Questions

Repérer et analyser

Le rythme, la structure et les répétitions

1 Combien y a-t-il de scènes dans chacun des trois chapitres ? Pour chacune, dites dans quel lieu elle se déroule, qui sont les personnages présents, quelle est la nature de la scène (transaction, conclusion d'un marché, aveu, mise en place d'une machination…), quelles sont les expressions signalant les entrées et sorties et qui marquent l'ouverture et la clôture de la scène. Répondez sous forme de tableau.

2 Ces scènes constituent-elles des scènes de tension ou de détente ? Pour quelle raison le narrateur s'est-il attardé sur elles ?

3 **a.** Montrez que dans le chapitre 3, qui est le chapitre central, la tension entre les personnages atteint son point culminant.

b. Par quelles péripéties l'action est-elle relancée dans le chapitre 4 ?

c. En quoi la fin du chapitre 4 marque-t-elle une progression dans la construction dramatique ?

4 **a.** Relevez l'ellipse entre les chapitres 2 et 3 puis entre les chapitres 3 et 4. Quelle en est à chaque fois la durée ?

b. Quelle est la durée approximative de l'action dans le chapitre 3 ?

c. Reconstituez l'écoulement du temps dans le chapitre 4. Quel en est l'effet ? Quel est le moment de la journée évoqué à la fin du chapitre ?

5 Les répétitions : le motif de l'or

a. Dans quels passages le narrateur fait-il référence au bruit de l'or ?

b. Quel est l'état d'esprit de Nantas à chaque apparition de ce motif ?

Le parcours de Nantas

Le parcours professionnel

6 En quoi le rôle qu'a choisi d'endosser Nantas est-il un rôle difficile (l. 333-334) ? Pour quelle raison l'assume-t-il ?

7 Montrez que Nantas a fait une ascension professionnelle fulgurante et qu'il a réalisé son ancien rêve. En quoi cette ascension se double-t-elle d'une ascension politique ? Quel régime soutient-il ?

8 L'accumulation

L'accumulation est une succession de termes de même nature et de même fonction grammaticale. Elle contribue à produire un effet d'abondance.

Relevez les procédés qui traduisent l'abondance : les accumulations (l. 518 à 533 et 591 à 598), les termes au pluriel et le champ lexical de l'argent (l. 591 à 602).

9 La progression thématique

Une phrase est constituée d'un thème et d'un propos. Les phrases ou propositions peuvent s'enchaîner selon différentes progressions qui peuvent se croiser. Selon les éléments que l'on souhaite mettre en valeur, on peut choisir :
– la progression à thème constant (phrases commençant par le même thème : Je… Je… Je…) ;
– la progression à thème éclaté (phrases commençant par des thèmes différents qui se réfèrent à un thème commun : Les cheveux… Les yeux… La bouche, se référant au visage) ;
– la progression à thème linéaire : le propos d'une phrase devient le thème de l'autre (ex. : Sur la table est posé un vase. Dans le vase, il y a des fleurs…).

Montrez que la progression thématique utilisée contribue à traduire le pouvoir acquis par Nantas. Pour répondre, dites quels sont les thèmes des phrases l. 591 à 611.

10 Quel poste Nantas obtient-il à la fin du chapitre 4 ?

Le parcours sentimental

11 **a.** Montrez, en citant des indices, que Nantas est sensible à Flavie.
b. Quelles relations entretient-il avec Flavie ? Quelles sont les conditions de leur mariage et de leur vie commune ?

12 Montrez que dans le chapitre 3, Flavie devient sa préoccupation première. Appuyez-vous notamment sur la scène avec le président du Corps législatif et sur les formes des phrases lignes 675 à 680.

13 **a.** Quel aveu Nantas fait-il à Flavie dans ce même chapitre 3 ? Quelle est la réaction de Flavie ?
b. En quoi y a-t-il contraste entre la réussite professionnelle et l'échec sentimental ?

14 Quelle tractation a-t-il négociée avec Mlle Chuin au chapitre 4 ? Quel en est le résultat ? Que décide-t-il finalement ?

Les autres personnages

15 Le baron Danvilliers. **a.** Quelle image le narrateur donne-t-il du père de Flavie ? Citez le texte.
b. Dans quel état d'esprit rencontre-t-il Nantas au début du chapitre 2 ?

Quels sentiments et pensées l'assaillent ? Selon quel style ses pensées sont-elles rapportées ?

c. Quand apprend-il la vérité sur Nantas ? Quelle est sa réaction ?

16 Mlle Chuin. a. Pourquoi Nantas a-t-il recours à Mlle Chuin au chapitre 4 ? En quoi la situation a-t-elle évolué par rapport à la première rencontre ?

b. Montrez que le caractère hypocrite et entremetteur de Mlle Chuin se confirme dans ce chapitre. Quelle idée « de génie » a-t-elle trouvée ?

c. Quel est le principal motif qui la pousse à agir ainsi ?

17 Flavie. a. Quel est le trait de caractère dominant de Flavie ? Quels rapports entretient-elle avec son père ?

b. Quels sentiments éprouve-t-elle envers Nantas ? Comment se comporte-t-elle avec lui ?

c. À partir de quel moment notez-vous des indices de son évolution ?

Le point de vue

18 a. Montrez que le narrateur alterne les points de vue omniscient et interne. Quel en est l'intérêt pour le lecteur ?

b. Quel est le personnage dont le narrateur privilégie le point de vue au cours de la nouvelle ?

c. Quel est le point de vue adopté dans les dernières lignes du chapitre 4 ? Quel est l'effet produit ?

De la réalité à la vision

19 Relisez les lignes 518 à 525, 599 à 602 et 783 à 784. Quelle image le narrateur donne-t-il de l'or ? Montrez que l'on retrouve dans ces passages la métaphore zolienne de la machine personnifiée.

20 a. Quel objet est mis en valeur dans les dernières lignes ?

b. En quoi l'écriture de Zola s'apparente-t-elle ici à l'écriture cinématographique (utilisation du cadrage, des plans, de la lumière) ? Justifiez.

La visée et les hypothèses de lecture

21 a. Quels sentiments Zola cherche-t-il à susciter chez le lecteur ?

b. À quelle suite le lecteur peut-il s'attendre ? Le suicide de Nantas paraît-il inéluctable ? Qui pourrait l'empêcher ?

V

50 La maison attenante[1] au jardin de l'hôtel était maintenant la propriété de Nantas, qui l'avait achetée à son beau-père. Par un caprice, il défendait d'y louer l'étroite mansarde, où, pendant deux mois, il s'était débattu contre la misère, lors de son arrivée à Paris. Depuis sa grande fortune, il avait éprouvé, à diverses
55 reprises, le besoin de monter s'y enfermer pour quelques heures. C'était là qu'il avait souffert, c'était là qu'il voulait triompher. Lorsqu'un obstacle se présentait, il aimait aussi à y réfléchir, à y prendre les grandes déterminations[2] de sa vie. Il y redevenait ce qu'il était autrefois. Aussi, devant la nécessité du suicide, était-
60 ce dans cette mansarde qu'il avait résolu de mourir.

Le matin, Nantas n'eut fini son travail que vers huit heures. Craignant que la fatigue ne l'assoupît, il se lava à grande eau. Puis, il appela successivement plusieurs employés, pour leur donner des ordres. Lorsque son secrétaire fut arrivé, il eut avec lui un entre-
65 tien : le secrétaire devait porter sur-le-champ le projet de budget aux Tuileries, et fournir certaines explications, si l'empereur soulevait des objections nouvelles. Dès lors, Nantas crut avoir assez fait. Il laissait tout en ordre, il ne partirait pas comme un banqueroutier[3] frappé de démence[4]. Enfin, il s'appartenait, il pouvait
70 disposer de lui, sans qu'on l'accusât d'égoïsme et de lâcheté.

Neuf heures sonnèrent. Il était temps. Mais, comme il allait quitter son cabinet, en emportant le revolver, il eut une dernière amertume à boire[5]. Mlle Chuin se présenta pour toucher les dix mille francs promis. Il la paya, et dut subir sa familiarité. Elle se
75 montrait maternelle, elle le traitait un peu comme un élève qui a réussi. S'il avait encore hésité, cette complicité honteuse l'aurait décidé au suicide. Il monta vivement et, dans sa hâte, laissa la clef sur la porte.

---

1. Dans la continuité, touchant.
2. Résolutions, décisions.
3. Personne qui fait faillite.

4. Folie.
5. Une dernière contrariété à subir.

Rien n'était changé. Le papier avait les mêmes déchirures, le lit,
1080 la table et la chaise se trouvaient toujours là, avec leur odeur de
pauvreté ancienne. Il respira un moment cet air qui lui rappelait
les luttes d'autrefois. Puis, il s'approcha de la fenêtre et il aperçut
la même échappée de Paris, les arbres de l'hôtel, la Seine, les quais,
tout un coin de la rive droite, où le flot des maisons roulait, se
1085 haussait, se confondait, jusqu'aux lointains du Père-Lachaise.

Le revolver était sur la table boiteuse, à portée de sa main.
Maintenant, il n'avait plus de hâte, il était certain que personne
ne viendrait et qu'il se tuerait à sa guise[6]. Il songeait et se disait
qu'il se retrouvait au même point que jadis, ramené au même
1090 lieu, dans la même volonté du suicide. Un soir déjà, à cette place,
il avait voulu se casser la tête ; il était trop pauvre alors pour
acheter un pistolet, il n'avait que le pavé de la rue, mais la mort
était quand même au bout. Ainsi, dans l'existence, il n'y avait
donc que la mort qui ne trompât pas, qui se montrât toujours
1095 sûre et toujours prête. Il ne connaissait qu'elle de solide, il avait
beau chercher, tout s'était continuellement effondré sous lui, la
mort seule restait une certitude. Et il éprouva le regret d'avoir
vécu dix ans de trop. L'expérience qu'il avait faite de la vie, en
montant à la fortune et au pouvoir, lui paraissait puérile. À quoi
1100 bon cette dépense de volonté, à quoi bon tant de force produite,
puisque, décidément, la volonté et la force n'étaient pas tout ? Il
avait suffi d'une passion pour le détruire, il s'était pris sottement
à aimer Flavie, et le monument qu'il bâtissait, craquait, s'écrou-
lait comme un château de cartes, emporté par l'haleine d'un
1105 enfant. C'était misérable, cela ressemblait à la punition d'un
écolier maraudeur, sous lequel la branche casse, et qui périt par
où il a péché. La vie était bête, les hommes supérieurs y finissaient
aussi platement[7] que les imbéciles.

---

6. Comme il le souhaite.

7. Sans élégance, sans finesse, sans relief.

Nantas avait pris le revolver sur la table et l'armait lentement.
Un dernier regret le fit mollir une seconde, à ce moment suprême.
Que de grandes choses il aurait réalisées, si Flavie l'avait compris !
Le jour où elle se serait jetée à son cou, en lui disant : « Je t'aime ! »
ce jour-là, il aurait trouvé un levier pour soulever le monde. Et
sa dernière pensée était un grand dédain de la force, puisque la
force, qui devait tout lui donner, n'avait pu lui donner Flavie.

Il leva son arme. La matinée était superbe. Par la fenêtre grande
ouverte, le soleil entrait, mettant un éveil de jeunesse dans la
mansarde. Au loin, Paris commençait son labeur de ville géante.
Nantas appuya le canon sur sa tempe.

Mais la porte s'était violemment ouverte, et Flavie entra. D'un
geste, elle détourna le coup, la balle alla s'enfoncer dans le plafond.
Tous deux se regardaient. Elle était si essoufflée, si étranglée, qu'elle
ne pouvait parler. Enfin, tutoyant Nantas pour la première fois, elle
trouva le mot qu'il attendait, le seul mot qui pût le décider à vivre :

« Je t'aime ! cria-t-elle à son cou, sanglotante, arrachant cet
aveu à son orgueil, à tout son être dompté, je t'aime parce que
tu es fort ! »

Émile Zola, « Nantas »,
1878.

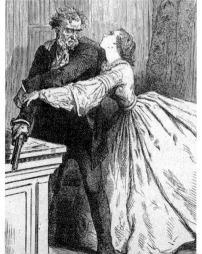

Illustration de Bertau,
in « Œuvres complètes
d'Émile Zola »,
éditions Fasquelle, 1906.

Questions

Repérer et analyser

La structure et les reprises

1 a. Relevez les éléments communs au début et à la fin de la nouvelle (décor, état intérieur du personnage). Quels changements notez-vous ?
b. En quoi peut-on dire que la nouvelle se referme comme une boucle mais que le dénouement est une ouverture sur l'avenir ?
2 Repérez le passage où réapparaît le motif de la fenêtre (voir p. 108). Quel paysage Nantas voit-il ? Quel est son état moral à ce moment du roman ?

La symbolique du lieu

Dans l'espace restreint d'une nouvelle, davantage encore que dans un roman, les lieux participent à l'action et sont souvent porteurs de significations.

3 a. Sur quel lieu la nouvelle s'ouvrait-elle ? Quel lieu sert de cadre à l'action à la fin de la nouvelle ? Que représente-t-il aux yeux de Nantas ?
b. Le lecteur pouvait-il s'attendre à ce que la nouvelle se referme sur ce lieu ? Justifiez votre réponse.

Le parcours des personnages

Nantas

4 Quel projet Nantas a-t-il conçu ?
5 a. À quelle activité a-t-il passé la nuit ? Quelles tâches accomplit-il dès le matin ? Pourquoi a-t-il à cœur d'être à jour dans son travail ?
b. Quel personnage reçoit-il ? Pourquoi se trouve-t-il mal à l'aise ?
6 Dans quel lieu se rend-il ensuite ? Quels sont les différents sentiments et pensées qui l'assaillent quand il se retrouve dans ce lieu ?
7 a. Quel bilan dresse-t-il de sa vie, de sa réussite professionnelle, de son amour pour Flavie ? Quelles réflexions se fait-il sur la mort ?
b. Montrez qu'il éprouve de la culpabilité. Pour quelle faute ?
c. Quelle est la seule personne qui pourrait le sauver ?

Flavie

8 a. Comment Flavie a-t-elle su que Nantas était en danger ?
b. En quoi Flavie a-t-elle évolué par rapport à Nantas ? Que traduit le passage au tutoiement ? Quelle qualité lui reconnaît-elle ?

Le rythme, le mode de narration et le point de vue

9 Combien de temps s'est-il écoulé entre la fin du chapitre 4 et le début du chapitre 5 ?

10 **a.** Montrez que dans ce chapitre le narrateur alterne les passages narratifs et la retranscription des pensées de Nantas.

b. Quels sont les deux points de vue qu'il fait alterner ? Quel est l'intérêt de la coexistence de ces deux points de vue ?

c. Selon quel style (direct, indirect ou indirect libre) le narrateur rapporte-t-il les pensées de Nantas ?

11 Montrez que le narrateur ralentit le rythme du récit à partir de la ligne 1086. Pour répondre, appuyez-vous sur la longueur des passages narratifs et descriptifs.

Le dénouement de la nouvelle et la chute

12 Quel personnage survient à un moment critique ? Quel est l'effet produit sur le lecteur par l'arrivée de ce personnage ?

13 **a.** Quel personnage a le mot de la fin ? En quoi les paroles qu'il prononce constituent-elles le dénouement de la nouvelle ?

b. Quel est l'effet produit sur le lecteur par cette chute ?

Les symboles et la visée

14 À quel moment de la journée l'action s'achève-t-elle ? Quel temps fait-il ? Quelle est la signification symbolique de ce moment d'une part, des conditions climatiques d'autre part ?

15 Quelle est la visée de la nouvelle concernant les rapports de l'amour et de l'argent ? Justifiez votre réponse.

Écrire

Imaginer une suite

16 À partir de la dernière réplique de Flavie, imaginez une suite. Vous pouvez rédiger une scène, procéder à une ellipse… Vous respecterez le statut du narrateur et les caractères des personnages.

Nouvelle 3
Naïs Micoulin

I

À la saison des fruits, une petite fille, brune de peau, avec des cheveux noirs embroussaillés, se présentait chaque mois chez un avoué[1] d'Aix, M. Rostand, tenant une énorme corbeille d'abricots ou de pêches, qu'elle avait peine à porter. Elle restait
5 dans le large vestibule, et toute la famille, prévenue, descendait.

« Ah ! c'est toi, Naïs, disait l'avoué. Tu nous apportes la récolte. Allons, tu es une brave fille… Et le père Micoulin, comment va-t-il ?

– Bien, monsieur », répondait la petite en montrant ses dents
10 blanches.

Alors, Mme Rostand la faisait entrer à la cuisine, où elle la questionnait sur les oliviers, les amandiers, les vignes. La grande affaire était de savoir s'il avait plu à l'Estaque, le coin du littoral où les Rostand possédaient leur propriété, la
15 Blancarde, que les Micoulin cultivaient. Il n'y avait là que quelques douzaines d'amandiers et d'oliviers, mais la question de la pluie n'en restait pas moins capitale, dans ce pays qui meurt de sécheresse.

« Il a tombé des gouttes, disait Naïs. Le raisin aurait besoin
20 d'eau. »

Puis, lorsqu'elle avait donné les nouvelles, elle mangeait un morceau de pain avec un reste de viande, et elle repartait pour l'Estaque, dans la carriole d'un boucher, qui venait à Aix tous les quinze jours. Souvent, elle apportait des coquillages,
25 une langouste, un beau poisson, le père Micoulin pêchant plus

---

1. Officier appartenant au ministère de la Justice, officiant dans un tribunal.

encore qu'il ne labourait. Quand elle arrivait pendant les vacances, Frédéric, le fils de l'avoué, descendait d'un bond dans la cuisine pour lui annoncer que la famille allait bientôt s'installer à la Blancarde, en lui recommandant de tenir prêts
30 ses filets et ses lignes. Il la tutoyait, car il avait joué avec elle tout petit. Depuis l'âge de douze ans seulement, elle l'appelait « M. Frédéric », par respect. Chaque fois que le père Micoulin l'entendait dire « tu » au fils de ses maîtres, il la souffletait[2]. Mais cela n'empêchait pas que les deux enfants fussent très
35 bons amis.

« Et n'oublie pas de raccommoder les filets, répétait le collégien.

– N'ayez pas peur, monsieur Frédéric, répondait Naïs. Vous pouvez venir. »

40 M. Rostand était fort riche. Il avait acheté à vil prix[3] un hôtel superbe, rue du Collège. L'hôtel de Coiron, bâti dans les dernières années du dix-septième siècle, développait une façade de douze fenêtres, et contenait assez de pièces pour loger une communauté. Au milieu de ces appartements immenses, la
45 famille composée de cinq personnes, en comptant les deux vieilles domestiques, semblait perdue. L'avoué occupait seulement le premier étage. Pendant dix ans, il avait affiché le rez-de-chaussée et le second, sans trouver de locataires. Alors, il s'était décidé à fermer les portes, à abandonner les deux tiers
50 de l'hôtel aux araignées. L'hôtel, vide et sonore, avait des échos de cathédrale au moindre bruit qui se produisait dans le vestibule, un énorme vestibule avec une cage d'escalier monumentale, où l'on aurait aisément construit une maison moderne.

55 Au lendemain de son achat, M. Rostand avait coupé en deux par une cloison le grand salon d'honneur, un salon de douze

---

| **2.** Lui donnait une gifle légère. | **3.** À bas prix, pour rien.

mètres sur huit, que six fenêtres éclairaient. Puis, il avait installé là, dans un compartiment son cabinet[4], et dans l'autre le cabinet de ses clercs[5]. Le premier étage comptait en outre
60 quatre pièces, dont la plus petite mesurait près de sept mètres sur cinq. Mme Rostand, Frédéric, les deux vieilles bonnes, habitaient des chambres hautes comme des chapelles. L'avoué s'était résigné à faire aménager un ancien boudoir[6] en cuisine, pour rendre le service plus commode ; auparavant, lorsqu'on
65 se servait de la cuisine du rez-de-chaussée, les plats arrivaient complètement froids, après avoir traversé l'humidité glaciale du vestibule et de l'escalier. Et le pis était que cet appartement démesuré se trouvait meublé de façon la plus sommaire. Dans le cabinet, un ancien meuble vert, en velours d'Utrecht[7], espa-
70 çait son canapé et ses huit fauteuils, style Empire, aux bois raides et tristes ; un petit guéridon[8] de la même époque semblait un joujou, au milieu de l'immensité de la pièce ; sur la cheminée, il n'y avait qu'une affreuse pendule de marbre moderne, entre deux vases, tandis que le carrelage, passé au rouge et frotté,
75 luisait d'un éclat dur. Les chambres à coucher étaient encore plus vides. On sentait là le tranquille dédain des familles du Midi, même les plus riches, pour le confort et le luxe, dans cette bienheureuse contrée[9] du soleil où la vie se passe au-dehors. Les Rostand n'avaient certainement pas conscience
80 de la mélancolie, du froid mortel qui désolaient ces grandes salles, dont la tristesse de ruines semblait accrue par la rareté et la pauvreté des meubles.

L'avoué était pourtant un homme fort adroit. Son père lui avait laissé une des meilleures études d'Aix, et il trouvait moyen
85 d'augmenter sa clientèle par une activité rare dans ce pays

---

4. Bureau.
5. Employés dans l'étude d'un officier public ou ministériel.
6. Petit salon de dame.

7. Ville des Pays-Bas.
8. Petite table ronde comportant un seul pied.
9. Une partie du pays.

de paresse. Petit, remuant, avec un fin visage de fouine, il s'occupait passionnément de son étude. Le soin de sa fortune le tenait d'ailleurs tout entier, il ne jetait même pas les yeux sur un journal, pendant les rares heures de flânerie qu'il tuait
90 au cercle. Sa femme, au contraire, passait pour une des femmes intelligentes et distinguées de la ville. Elle était née de Villebonne, ce qui lui laissait une auréole de dignité, malgré sa mésalliance[10]. Mais elle montrait un rigorisme[11] si outré, elle pratiquait ses devoirs religieux avec tant d'obstination
95 étroite, qu'elle avait comme séché dans l'existence méthodique qu'elle menait.

Quant à Frédéric, il grandissait entre ce père si affairé[12] et cette mère si rigide[13]. Pendant ses années de collège, il fut un cancre de la belle espèce, tremblant devant sa mère, mais ayant
100 tant de répugnance pour le travail, que, dans le salon, le soir, il lui arrivait de rester des heures le nez sur ses livres, sans lire une ligne, l'esprit perdu, tandis que ses parents s'imaginaient, à le voir, qu'il étudiait ses leçons. Irrités de sa paresse, ils le mirent pensionnaire au collège ; et il ne travailla pas davan-
105 tage, moins surveillé qu'à la maison, enchanté de ne plus sentir toujours peser sur lui des yeux sévères. Aussi, alarmés des allures émancipées[14] qu'il prenait, finirent-ils par le retirer, afin de l'avoir de nouveau sous leur férule[15]. Il termina sa seconde et sa rhétorique[16], gardé de si près, qu'il dut enfin
110 travailler : sa mère examinait ses cahiers, le forçait à répéter ses leçons, se tenait derrière lui à toute heure, comme un gendarme. Grâce à cette surveillance, Frédéric ne fut refusé que deux fois aux examens du baccalauréat.

---

10. Mariage avec une personne de condition considérée comme inférieure.
11. Morale sévère.
12. Qui a ou paraît avoir beaucoup d'occupation.

13. D'une grande sévérité.
14. Qui témoignent d'un manque de retenue dans sa conduite.
15. Sous leur autorité.
16. Classe de première.

Aix possède une école de droit renommée, où le fils Rostand
115 prit naturellement ses inscriptions. Dans cette ancienne ville
parlementaire, il n'y a guère que des avocats, des notaires et
des avoués, groupés là autour de la Cour. On y fait son droit
quand même, quitte ensuite à planter tranquillement ses choux.
Il continua d'ailleurs sa vie du collège, travaillant le moins
120 possible, tâchant simplement de faire croire qu'il travaillait
beaucoup. Mme Rostand, à son grand regret, avait dû lui
accorder plus de liberté. Maintenant, il sortait quand il voulait,
et n'était tenu qu'à se trouver là aux heures des repas ; le soir,
il devait rentrer à neuf heures, excepté les jours où on lui
125 permettait le théâtre. Alors, commença pour lui cette vie d'étudiant de province, si monotone, si pleine de vices, lorsqu'elle
n'est pas entièrement donnée au travail.

Il faut connaître Aix, la tranquillité de ses rues où l'herbe
pousse, le sommeil qui endort la ville entière, pour comprendre
130 quelle existence vide y mènent les étudiants. Ceux qui
travaillent ont la ressource de tuer les heures devant leurs
livres. Mais ceux qui se refusent à suivre sérieusement les cours
n'ont d'autres refuges, pour se désennuyer, que les cafés, où
l'on joue, et certaines maisons, où l'on fait pis encore. Le jeune
135 homme se trouva être un joueur passionné ; il passait au jeu
la plupart de ses soirées, et les achevait ailleurs. Une sensualité de gamin échappé du collège le jetait dans les seules
débauches[17] que la ville pouvait offrir, une ville où manquaient
les filles libres qui peuplent à Paris le quartier Latin. Lorsque
140 ses soirées ne lui suffirent plus, il s'arrangea pour avoir égale-
ment ses nuits, en volant une clé de la maison. De cette manière
il passa heureusement ses années de droit.

Du reste, Frédéric avait compris qu'il devait se montrer un
fils docile[18]. Toute une hypocrisie d'enfant courbé par la peur
145 lui était peu à peu venue. Sa mère, maintenant, se déclarait

17. Mauvaises conduites.   18. Obéissant.

satisfaite : il la conduisait à la messe, gardait une allure correcte, lui contait tranquillement des mensonges énormes, qu'elle acceptait, devant son air de bonne foi. Et son habileté devint telle, que jamais il ne se laissa surprendre, trouvant toujours une
150 excuse, inventant d'avance des histoires extraordinaires pour se préparer des arguments. Il payait ses dettes de jeu avec de l'argent emprunté à des cousins. Il tenait toute une comptabilité compliquée. Une fois, après un gain inespéré, il réalisa même ce rêve d'aller passer une semaine à Paris, en se faisant inviter
155 par un ami, qui possédait une propriété près de la Durance.

Au demeurant, Frédéric était un beau jeune homme, grand et de figure régulière, avec une forte barbe noire. Ses vices le rendaient aimable, auprès des femmes surtout. On le citait pour ses bonnes manières. Les personnes qui connaissaient
160 ses farces souriaient un peu ; mais, puisqu'il avait la décence de cacher cette moitié suspecte de sa vie, il fallait encore lui savoir gré de ne pas étaler ses débordements, comme certains étudiants grossiers, qui faisaient le scandale de la ville.

Frédéric allait avoir vingt et un ans. Il devait passer bientôt
165 ses derniers examens. Son père, encore jeune et peu désireux de lui céder tout de suite son étude, parlait de le pousser dans la magistrature debout. Il avait à Paris des amis qu'il ferait agir, pour obtenir une nomination de substitut[19]. Le jeune homme ne disait pas non ; jamais il ne combattait ses parents
170 d'une façon ouverte ; mais il avait un mince sourire qui indiquait son intention arrêtée de continuer l'heureuse flânerie dont il se trouvait si bien. Il savait son père riche, il était fils unique, pourquoi aurait-il pris la moindre peine ? En attendant, il fumait des cigares sur le Cours, allait dans les basti-
175 dons[20] voisins faire des parties fines, fréquentait journellement

---

19. Magistrat chargé de remplacer au parquet le procureur général ou le procureur de la République.

20. Petites maisons de campagne dans le Midi.

en cachette les maisons louches, ce qui ne l'empêchait pas
d'être aux ordres de sa mère et de la combler de prévenances.
Quand une noce plus débraillée que les autres lui avait brisé
les membres et compromis l'estomac, il rentrait dans le grand
180 hôtel glacial de la rue du Collège, où il se reposait avec délices.
Le vide des pièces, le sévère ennui qui tombait des plafonds,
lui semblaient avoir une fraîcheur calmante. Il s'y remettait,
en faisant croire à sa mère qu'il restait là pour elle, jusqu'au
jour où, la santé et l'appétit revenus, il machinait quelque
185 nouvelle escapade[21]. En somme, le meilleur garçon du monde,
pourvu qu'on ne touchât point à ses plaisirs.

Naïs, cependant, venait chaque année chez les Rostand, avec
ses fruits et ses poissons, et chaque année elle grandissait. Elle
avait juste le même âge que Frédéric, trois mois de plus environ.
190 Aussi, Mme Rostand lui disait-elle chaque fois :

« Comme tu te fais grande fille, Naïs ! »

Et Naïs souriait, en montrant ses dents blanches. Le plus
souvent, Frédéric n'était pas là. Mais, un jour, la dernière année
de son droit, il sortait, lorsqu'il trouva Naïs debout dans le
195 vestibule, avec sa corbeille. Il s'arrêta net d'étonnement. Il ne
reconnaissait pas la longue fille mince et déhanchée qu'il avait
vue, l'autre saison, à la Blancarde. Naïs était superbe, avec
sa tête brune, sous le casque sombre de ses épais cheveux noirs ;
et elle avait des épaules fortes, une taille ronde, des bras magni-
200 fiques dont elle montrait les poignets nus. En une année, elle
venait de pousser comme un jeune arbre.

« C'est toi ! dit-il d'une voix balbutiante.

– Mais oui, monsieur Frédéric, répondit-elle en le regardant
en face, de ces grands yeux où brûlait un feu sombre. J'apporte
205 des oursins… Quand arrivez-vous ? Faut-il préparer les filets ? »

Il la contemplait toujours, il murmura, sans paraître avoir
entendu :

| **21.** Fugue, aventure.

Illustration de Maurice Toussaint pour « Naïs Micoulin »
éditions Calmann-Lévy, Paris, 1911.

« Tu es bien belle, Naïs !... Qu'est-ce que tu as donc ? »

Ce compliment la fit rire. Puis, comme il lui prenait les mains, ayant l'air de jouer, ainsi qu'ils jouaient ensemble autrefois, elle devint sérieuse, elle le tutoya brusquement, en lui disant tout bas, d'une voix un peu rauque :

« Non, non, pas ici... Prends garde ! voici ta mère. »

à suivre...

Questions

Repérer et analyser

Le titre et l'incipit

1 En quoi la lecture de l'incipit élucide-t-elle le titre de la nouvelle ?

2 Montrez, en citant le texte, que les premières lignes de la nouvelle (l. 1 à 20) fournissent d'emblée des indications au lecteur : indications de temps, de lieu, nom et statut social des personnages.

3 En quoi l'univers qui se construit est-il un univers réaliste ?

4 La nouvelle s'ouvre sur une scène répétitive. Quelle est-elle ?

5 Les connotations

> Les connotations sont l'ensemble des images qui sont associées à un mot. Par exemple le mot « Italie », qui renvoie à un pays, est chargé de connotations multiples : Antiquité, langue, musique, peinture, art de vivre…

Que connote l'expression « À la saison des fruits » (l. 1) ? Sur quelle tonalité (gaie, triste…) la nouvelle s'ouvre-t-elle ?

Le narrateur et le point de vue

> Le narrateur peut intervenir de façon explicite par des commentaires ou marquer sa présence au travers d'indices.

6 À quelle personne le narrateur mène-t-il le récit ? Identifiez son statut. Quel est le point de vue dominant adopté par le narrateur ? Quel est l'intérêt pour le lecteur du choix de ce point de vue ?

La mise en place de l'action

7 Récapitulez les principales informations que le narrateur fournit au lecteur sur le cadre et les personnages.

a. Quelle région de France sert de cadre à l'action ? Quel genre de maison les Rostand habitent-ils ?

b. Quels sont les deux groupes de personnages qui sont les acteurs de la nouvelle (quel est leur statut social respectif ? Précisez les relations qu'ils entretiennent) ? Quelle image le narrateur donne-t-il plus particulièrement du personnage de Frédéric (appuyez-vous sur le texte) ? Quel est son âge au moment de l'action ?

8 **a.** Relevez à la fin du premier chapitre l'indication temporelle précise qui marque le début de l'action.
b. Quels différents éléments permettent à l'action de se déclencher ?

Le regard du narrateur sur les personnages

Bien que tenu en dehors des événements, le narrateur peut néanmoins laisser sentir sa présence tout au long du récit soit en émettant des commentaires explicites, soit en parsemant le texte d'indices de subjectivité. Il peut ainsi manifester son émotion (par le choix d'un type de phrases, d'interjections comme « hélas ! »…) et exprimer un jugement (par le choix d'un lexique évaluatif, en utilisant par exemple des adjectifs comme « beau », « laid », « horrible »…).

9 **a.** Relevez les commentaires qui montrent que le narrateur connaît bien la ville d'Aix et les gens du midi. Qu'en dit-il ?
b. Relevez dans les lignes 83 à 96 et 97 à 113 les mots, expressions, comparaisons qui contiennent un jugement du narrateur sur les Rostand. Quelle image donne-t-il de chacun d'eux ?
c. Relisez la description de l'hôtel particulier de M. Rostand l. 40 à 82. Relevez les termes dépréciatifs utilisés pour la caractériser.

10 L'ironie

Le narrateur peut aussi avoir recours à l'ironie, qui consiste à feindre d'adopter un ton neutre pour évoquer une situation, des faits que l'on désapprouve. Elle mise sur la connivence du lecteur.

Relevez dans le portrait de Frédéric un commentaire ironique du narrateur. Montrez qu'il confirme l'image qui est donnée de Frédéric.

Les hypothèses de lecture

11 Sur quelle courte scène le premier chapitre se termine-t-il ? À quelle suite le lecteur peut-il s'attendre ?

Écrire

Écrire un incipit à la manière de Zola dans *Naïs Micoulin*

12 Écrivez l'incipit d'une nouvelle. Vous introduirez des notations de lieu, d'époque, et mettrez en scène des personnages dont vous préciserez le statut.

II

Quinze jours plus tard, la famille Rostand partait pour la
215 Blancarde. L'avoué devait attendre les vacances des tribunaux,
et d'ailleurs le mois de septembre était d'un grand charme, au
bord de la mer. Les chaleurs finissaient, les nuits avaient une
fraîcheur délicieuse.

La Blancarde ne se trouvait pas dans L'Estaque même, un
220 bourg situé à l'extrême banlieue de Marseille, au fond d'un
cul-de-sac de rochers, qui ferme le golfe. Elle se dressait au-
delà du village, sur une falaise ; de toute la baie, on apercevait
sa façade jaune, au milieu d'un bouquet de grands pins. C'était
une de ces bâtisses carrées, lourdes, percées de fenêtres irré-
225 gulières, qu'on appelle des châteaux en Provence. Devant la
maison, une large terrasse s'étendait à pic sur une étroite plage
de cailloux. Derrière, il y avait un vaste clos, des terres maigres
où quelques vignes, des amandiers et des oliviers consentaient
seuls à pousser. Mais un des inconvénients, un des dangers
230 de la Blancarde était que la mer ébranlait continuellement la
falaise ; des infiltrations, provenant de sources voisines, se
produisaient dans cette masse amollie de terre glaise et de
roches ; et il arrivait, à chaque saison, que des blocs énormes
se détachaient pour tomber dans l'eau avec un bruit épou-
235 vantable. Peu à peu, la propriété s'échancrait[1]. Des pins avaient
déjà été engloutis.

Depuis quarante ans, les Micoulin étaient mégers[2] à la
Blancarde. Selon l'usage provençal, ils cultivaient le bien et
partageaient les récoltes avec le propriétaire. Ces récoltes étant
240 pauvres, ils seraient morts de famine, s'ils n'avaient pas pêché
un peu de poisson l'été. Entre un labourage et un ensemen-
cement, ils donnaient un coup de filet. La famille était
composée du père Micoulin, un dur vieillard à la face noire

---

1. Se creusait.   2. Métayers.

et creusée, devant lequel toute la maison tremblait ; de la mère
245   Micoulin, une grande femme abêtie par le travail de la terre
au plein soleil ; d'un fils qui servait pour le moment sur
l'*Arrogante*, et de Naïs que son père envoyait travailler dans
une fabrique de tuiles, malgré toute la besogne qu'il y avait
au logis. L'habitation du méger, une masure collée à l'un des
250   flancs de la Blancarde, s'égayait rarement d'un rire ou d'une
chanson. Micoulin gardait un silence de vieux sauvage, enfoncé
dans les réflexions de son expérience. Les deux femmes éprou-
vaient pour lui ce respect terrifié que les filles et les épouses
du Midi témoignent au chef de la famille. Et la paix n'était
255   guère troublée que par les appels furieux de la mère, qui se
mettait les poings sur les hanches pour enfler son gosier à le
rompre, en jetant aux quatre points du ciel le nom de Naïs,
dès que sa fille disparaissait. Naïs entendait d'un kilomètre
et rentrait, toute pâle de colère contenue.

260   Elle n'était point heureuse, la belle Naïs, comme on la
nommait à L'Estaque. Elle avait seize ans, que Micoulin, pour
un oui, pour un non, la frappait au visage, si rudement, que le
sang lui partait du nez ; et, maintenant encore, malgré ses vingt
ans passés, elle gardait pendant des semaines les épaules bleues
265   des sévérités du père. Celui-ci n'était pas méchant, il usait
simplement avec rigueur de sa royauté, voulant être obéi, ayant
dans le sang l'ancienne autorité latine, le droit de vie et de mort
sur les siens. Un jour, Naïs, rouée[3] de coups, ayant osé lever la
main pour se défendre, il avait failli la tuer. La jeune fille, après
270   ces corrections, restait frémissante. Elle s'asseyait par terre,
dans un coin noir, et là, les yeux secs, dévorait l'affront. Une
rancune sombre la tenait ainsi muette pendant des heures, à
rouler des vengeances qu'elle ne pouvait exécuter. C'était le
sang même de son père qui se révoltait en elle, un emportement

3. Battue violemment.

275 aveugle, un besoin furieux d'être la plus forte. Quand elle voyait
sa mère, tremblante et soumise, se faire toute petite devant
Micoulin, elle la regardait pleine de mépris. Elle disait souvent :
« Si j'avais un mari comme ça, je le tuerais. »

Naïs préférait encore les jours où elle était battue, car ces
280 violences la secouaient. Les autres jours, elle menait une existence si étroite, si enfermée, qu'elle se mourait d'ennui. Son
père lui défendait de descendre à L'Estaque, la tenait à la
maison dans des occupations continuelles ; et, même lorsqu'elle
n'avait rien à faire, il voulait qu'elle restât là, sous ses yeux.
285 Aussi attendait-elle le mois de septembre avec impatience ; dès
que les maîtres habitaient la Blancarde, la surveillance de
Micoulin se relâchait forcément. Naïs, qui faisait des courses
pour Mme Rostand, se dédommageait de son emprisonne-
ment de toute l'année.

290 Un matin, le père Micoulin avait réfléchi que cette grande
fille pouvait lui rapporter trente sous par jour. Alors, il l'éman-
cipa[4], il l'envoya travailler dans une tuilerie. Bien que le travail
y fût très dur, Naïs était enchantée. Elle partait dès le matin,
allait de l'autre côté de L'Estaque et restait jusqu'au soir au
295 grand soleil, à retourner des tuiles pour les faire sécher. Ses
mains s'usaient à cette corvée de manœuvre, mais elle ne sentait
plus son père derrière son dos, elle riait librement avec des
garçons. Ce fut là, dans ce labeur si rude, qu'elle se développa
et devint une belle fille. Le soleil ardent lui dorait la peau, lui
300 mettait au cou une large collerette d'ambre ; ses cheveux noirs
poussaient, s'entassaient, comme pour la garantir de leurs
mèches volantes ; son corps, continuellement penché et balancé
dans le va-et-vient de sa besogne, prenait une vigueur souple
de jeune guerrière. Lorsqu'elle se relevait, sur le terrain battu,
305 au milieu de ces argiles rouges, elle ressemblait à une amazone[5]

---

4. Rendit libre.   5. Femme d'un caractère mâle et guerrier.

antique, à quelque terre cuite puissante, tout à coup animée par la pluie de flammes qui tombait du ciel. Aussi Micoulin la couvait-il de ses petits yeux, en la voyant embellir. Elle riait trop, cela ne lui paraissait pas naturel qu'une fille fût si
310 gaie. Et il se promettait d'étrangler les amoureux, s'il en découvrait jamais autour de ses jupes.

Des amoureux, Naïs en aurait eu des douzaines, mais elle les décourageait. Elle se moquait de tous les garçons. Son seul bon ami était un bossu, occupé à la même tuilerie qu'elle, un
315 petit homme nommé Toine, que la maison des enfants trouvés d'Aix avait envoyé à L'Estaque, et qui était resté là, adopté par le pays. Il riait d'un joli rire, ce bossu, avec un profil de polichinelle. Naïs le tolérait pour sa douceur. Elle faisait de lui ce qu'elle voulait, le rudoyait souvent, lorsqu'elle avait à
320 se venger sur quelqu'un d'une violence de son père. Du reste, cela ne tirait pas à conséquence. Dans le pays, on riait de Toine. Micoulin avait dit : « Je lui permets le bossu, je la connais, elle est trop fière ! »

Cette année-là, quand Mme Rostand fut installée à la
325 Blancarde, elle demanda au méger de lui prêter Naïs, une de ses bonnes étant malade. Justement, la tuilerie chômait. D'ailleurs, Micoulin, si dur pour les siens, se montrait politique[6] à l'égard des maîtres ; il n'aurait pas refusé sa fille, même si la demande l'eût contrarié. M. Rostand avait dû se rendre
330 à Paris, pour des affaires graves, et Frédéric se trouvait à la campagne seul avec sa mère. Les premiers jours, d'habitude, le jeune homme était pris d'un grand besoin d'exercice, grisé par l'air, allant en compagnie de Micoulin jeter ou retirer les filets, faisant de longues promenades au fond des gorges qui
335 viennent déboucher à L'Estaque. Puis, cette belle ardeur se calmait, il restait allongé des journées entières sous les pins,

6. Adroit, fin.

au bord de la terrasse, dormant à moitié, regardant la mer, dont le bleu monotone finissait par lui causer un ennui mortel. Au bout de quinze jours, généralement, le séjour de la Blancarde l'assommait. Alors, il inventait chaque matin un prétexte pour filer à Marseille.

Le lendemain de l'arrivée des maîtres, Micoulin, au lever du soleil, appela Frédéric. Il s'agissait d'aller lever des jambins, de longs paniers à étroite ouverture de souricière, dans lesquels les poissons de fond se prennent. Mais le jeune homme fit la sourde oreille. La pêche ne paraissait pas le tenter. Quand il fut levé, il s'installa sous les pins, étendu sur le dos, les regards perdus au ciel. Sa mère fut toute surprise de ne pas le voir partir pour une de ces grandes courses dont il revenait affamé.

« Tu ne sors pas ? demanda-t-elle.

– Non, mère, répondit-il. Puisque papa n'est pas là, je reste avec vous. »

Le méger, qui entendit cette réponse, murmura en patois :

« Allons, M. Frédéric ne va pas tarder à partir pour Marseille. »

Frédéric, pourtant, n'alla pas à Marseille. La semaine s'écoula, il était toujours allongé, changeant simplement de place, quand le soleil le gagnait. Par contenance[7], il avait pris un livre ; seulement, il ne lisait guère ; le livre, le plus souvent, traînait parmi les aiguilles de pin, séchées sur la terre dure. Le jeune homme ne regardait même pas la mer ; la face tournée vers la maison, il semblait s'intéresser au service, guetter les bonnes qui allaient et venaient, traversant la terrasse à toute minute ; et quand c'était Naïs qui passait, de courtes flammes s'allumaient dans ses yeux de jeune maître sensuel. Alors, Naïs ralentissait le pas, s'éloignait avec le balancement rythmé de sa taille, sans jamais jeter un regard sur lui.

---

7. Attitude, manière de se tenir.

Pendant plusieurs jours, ce jeu dura. Devant sa mère, Frédéric traitait Naïs presque durement, en servante maladroite. La jeune fille grondée baissait les yeux, avec une sournoiserie[8] heureuse, comme pour jouir de ces fâcheries.

Un matin, au déjeuner, Naïs cassa un saladier. Frédéric s'emporta.

« Est-elle sotte ! cria-t-il. Où a-t-elle la tête ? »

Et il se leva furieux, en ajoutant que son pantalon était perdu. Une goutte d'huile l'avait taché au genou. Mais il en faisait une affaire.

« Quand tu me regarderas ! Donne-moi une serviette et de l'eau… Aide-moi. »

Naïs trempa le coin d'une serviette dans une tasse, puis se mit à genoux devant Frédéric, pour frotter la tache.

« Laisse, répétait Mme Rostand. C'est comme si tu ne faisais rien. »

Mais la jeune fille ne lâchait point la jambe de son maître, qu'elle continuait à frotter de toute la force de ses beaux bras. Lui, grondait toujours des paroles sévères.

« Jamais on n'a vu une pareille maladresse… Elle l'aurait fait exprès que ce saladier ne serait pas venu se casser plus près de moi… Ah bien ! si elle nous servait à Aix, notre porcelaine serait vite en pièces ! »

Ces reproches étaient si peu proportionnés à la faute, que Mme Rostand crut devoir calmer son fils, lorsque Naïs ne fut plus là.

« Qu'as-tu donc contre cette pauvre fille ? On dirait que tu ne peux la souffrir… Je te prie d'être plus doux pour elle. C'est une ancienne camarade de jeu, et elle n'a pas ici la situation d'une servante ordinaire.

– Eh ! elle m'ennuie ! » répondit Frédéric, en affectant un air de brutalité.

---

8. Dissimulation hypocrite.

Le soir même, à la nuit tombée, Naïs et Frédéric se
400 rencontrèrent dans l'ombre, au bout de la terrasse. Ils ne
s'étaient point encore parlés seul à seule. On ne pouvait les
entendre de la maison. Les pins secouaient dans l'air mort une
chaude senteur résineuse. Alors, elle, à voix basse, demanda,
en retrouvant le tutoiement de leur enfance :
405 « Pourquoi m'as-tu grondée, Frédéric ?... Tu es bien
méchant. »

Sans répondre, il lui prit les mains, il l'attira contre sa
poitrine, la baisa aux lèvres. Elle le laissa faire, et s'en alla
ensuite, pendant qu'il s'asseyait sur le parapet, pour ne point
410 paraître devant sa mère tout secoué d'émotion. Dix minutes
plus tard, elle servait à table, avec son grand calme un peu fier.

Frédéric et Naïs ne se donnèrent pas de rendez-vous. Ce
fut une nuit qu'ils se retrouvèrent sous un olivier, au bord de
la falaise. Pendant le repas, leurs yeux s'étaient plusieurs fois
415 rencontrés avec une fixité ardente. La nuit était très chaude,
Frédéric fuma des cigarettes à sa fenêtre jusqu'à une heure,
interrogeant l'ombre. Vers une heure, il aperçut une forme
vague qui se glissait le long de la terrasse. Alors, il n'hésita
plus. Il descendit sur le toit d'un hangar, d'où il sauta ensuite
420 à terre, en s'aidant de longues perches, posées là, dans un
angle ; de cette façon, il ne craignait pas de réveiller sa mère.
Puis, quand il fut en bas, il marcha droit à un vieil olivier,
certain que Naïs l'attendait.

« Tu es là ? demanda-t-il à demi-voix.
425 – Oui », répondit-elle simplement.

Et il s'assit près d'elle, dans le chaume ; il la prit à la taille,
tandis qu'elle appuyait la tête sur son épaule. Un instant, ils
restèrent sans parler. Le vieil olivier, au bois noueux, les
couvrait de son toit de feuilles grises. En face, la mer s'éten-
430 dait, noire, immobile sous les étoiles. Marseille, au fond du
golfe, était cachée par une brume ; à gauche, seul le phare

tournant de Planier revenait toutes les minutes, trouant les
ténèbres d'un rayon jaune, qui s'éteignait brusquement ; et
rien n'était plus doux ni plus tendre que cette lumière, sans
435 cesse perdue à l'horizon, et sans cesse retrouvée.

« Ton père est donc absent ? reprit Frédéric.

– J'ai sauté par la fenêtre », dit-elle de sa voix grave.

Ils ne parlèrent point de leur amour. Cet amour venait de
loin, du fond de leur enfance. Maintenant, ils se rappelaient
440 des jeux où le désir perçait déjà dans l'enfantillage. Cela leur
semblait naturel, de glisser à des caresses. Ils n'auraient su que
se dire, ils avaient l'unique besoin d'être l'un à l'autre. Lui, la
trouvait belle, excitante avec son hâle et son odeur de terre,
et elle, goûtait un orgueil de fille battue, à devenir la maîtresse
445 du jeune maître. Elle s'abandonna. Le jour allait paraître,
quand tous deux rentrèrent dans leurs chambres par le chemin
qu'ils avaient pris pour en sortir.

III

Quel mois adorable ! Il ne plut pas un seul jour. Le ciel,
toujours bleu, développait un satin que pas un nuage ne venait
450 tacher. Le soleil se levait dans un cristal rose et se couchait
dans une poussière d'or. Pourtant, il ne faisait point trop chaud,
la brise de mer montait avec le soleil et s'en allait avec lui ;
puis, les nuits avaient une fraîcheur délicieuse, tout embaumée
des plantes aromatiques chauffées pendant le jour, fumant
455 dans l'ombre.

Le pays est superbe. Des deux côtés du golfe, des bras de
rochers s'avancent, tandis que les îles, au large, semblent barrer
l'horizon ; et la mer n'est plus qu'un vaste bassin, un lac d'un
bleu intense par les beaux temps. Au pied des montagnes, au
460 fond, Marseille étage ses maisons sur des collines basses ; quand

l'air est limpide, on aperçoit, de L'Estaque, la jetée grise de la Joliette, avec les fines mâtures[9] des vaisseaux, dans le port ; puis, derrière, des façades se montrent au milieu de massifs d'arbres, la chapelle de Notre-Dame-de-la-Garde blanchit sur
465 une hauteur, en plein ciel. Et la côte part de Marseille, s'arrondit, se creuse en larges échancrures avant d'arriver à L'Estaque, bordée d'usines qui lâchent, par moments, de hauts panaches de fumée. Lorsque le soleil tombe d'aplomb[10], la mer, presque noire, est comme endormie entre les deux
470 promontoires[11] de rochers, dont la blancheur se chauffe de jaune et de brun. Les pins tachent de vert sombre les terres rougeâtres. C'est un vaste tableau, un coin entrevu de l'Orient, s'enlevant dans la vibration aveuglante du jour.

Mais L'Estaque n'a pas seulement cette échappée sur la mer.
475 Le village, adossé aux montagnes, est traversé par des routes qui vont se perdre au milieu d'un chaos de roches foudroyées. Le chemin de fer de Marseille à Lyon court parmi les grands blocs, traverse des ravins sur des ponts, s'enfonce brusquement sous le roc lui-même, et y reste pendant une lieue et
480 demie, dans ce tunnel de la Nerthe, le plus long de France. Rien n'égale la majesté sauvage de ces gorges qui se creusent entre les collines, chemins étroits serpentant au fond d'un gouffre, flancs arides plantés de pins, dressant des murailles aux colorations de rouille et de sang. Parfois, les défilés s'élar-
485 gissent, un champ maigre d'oliviers occupe le creux d'un vallon, une maison perdue montre sa façade peinte, aux volets fermés. Puis, ce sont encore des sentiers pleins de ronces, des fourrés impénétrables, des éboulements de cailloux, des torrents desséchés, toutes les surprises d'une marche dans un
490 désert. En haut, au-dessus de la bordure noire des pins, le ciel met la bande continue de sa fine soie bleue.

---

9. Ensemble des mâts, des vergues et des cordages d'un navire.

10. Perpendiculairement.

11. Avancées de la terre en hauteur.

Et il y a aussi l'étroit littoral entre les rochers et la mer, des terres rouges où les tuileries, la grande industrie de la contrée, ont creusé d'immenses trous, pour extraire l'argile. C'est un
495 sol crevassé, bouleversé, à peine planté de quelques arbres chétifs, et dont une haleine d'ardente passion semble avoir séché les sources. Sur les chemins, on croirait marcher dans un lit de plâtre, on enfonce jusqu'aux chevilles ; et, aux moindres souffles de vent, de grandes poussières volantes
500 poudrent les haies. Le long des murailles, qui jettent des réverbérations[12] de four, de petits lézards gris dorment, tandis que, du brasier des herbes roussies, des nuées de sauterelles s'envolent, avec un crépitement d'étincelles. Dans l'air immobile et lourd, dans la somnolence de midi, il n'y a d'autre vie que
505 le chant monotone des cigales.

Ce fut au travers de cette contrée de flammes que Naïs et Frédéric s'aimèrent pendant un mois. Il semblait que tout ce feu du ciel était passé dans leur sang. Les huit premiers jours, ils se contentèrent de se retrouver la nuit, sous le même olivier,
510 au bord de la falaise. Ils y goûtaient des joies exquises. La nuit fraîche calmait leur fièvre, ils tendaient parfois leurs visages et leurs mains brûlantes aux haleines qui passaient, pour les rafraîchir comme dans une source froide. La mer, à leurs pieds, au bas des roches, avait une plainte voluptueuse et lente. Une
515 odeur pénétrante d'herbes marines les grisait de désirs. Puis, aux bras l'un de l'autre, las d'une fatigue heureuse, ils regardaient, de l'autre côté des eaux, le flamboiement nocturne de Marseille, les feux rouges de l'entrée du port jetant dans la mer des reflets sanglants, les étincelles du gaz dessinant, à
520 droite et à gauche, les courbes allongées des faubourgs ; au milieu, sur la ville, c'était un pétillement de lueurs vives, tandis que le jardin de la colline Bonaparte était nettement

12. Réflexions de la chaleur.

L'Estaque vu du golfe de Marseille, vers 1878-1879.
Peinture de Paul Cézanne, Paris, musée d'Orsay.

indiqué par deux rampes de clartés, qui tournaient au bord
du ciel. Toutes ces lumières, au-delà du golfe endormi,
525 semblaient éclairer quelque ville du rêve, que l'aurore devait
emporter. Et le ciel, élargi au-dessus du chaos noir de l'horizon, était pour eux un grand charme, un charme qui les
inquiétait et les faisait se serrer davantage. Une pluie d'étoiles
tombait. Les constellations, dans ces nuits claires de la
530 Provence, avaient des flammes vivantes. Frémissant sous ces
vastes espaces, ils baissaient la tête, ils ne s'intéressaient plus
qu'à l'étoile solitaire du phare de Planier, dont la lueur dansante
les attendrissait, pendant que leurs lèvres se cherchaient encore.

Mais, une nuit, ils trouvèrent une large lune à l'horizon,
535 dont la face jaune les regardait. Dans la mer, une traînée de
feu luisait, comme si un poisson gigantesque, quelque anguille
des grands fonds, eût fait glisser les anneaux sans fin de ses
écailles d'or ; et un demi-jour éteignait les clartés de Marseille,
baignait les collines et les échancrures du golfe. À mesure que
540 la lune montait, le jour grandissait, les ombres devenaient
plus nettes. Dès lors, ce témoin les gêna. Ils eurent peur d'être
surpris, en restant si près de la Blancarde. Au rendez-vous
suivant, ils sortirent du clos par un coin de mur écroulé, ils
promenèrent leurs amours dans tous les abris que le pays
545 offrait. D'abord, ils se réfugièrent au fond d'une tuilerie aban-
donnée : le hangar ruiné y surmontait une cave, dans laquelle
les deux bouches du four s'ouvraient encore. Mais ce trou les
attristait, ils préféraient sentir sur leurs têtes le ciel libre. Ils
coururent les carrières d'argile rouge, ils découvrirent des
550 cachettes délicieuses, de véritables déserts de quelques mètres
carrés, d'où ils entendaient seulement les aboiements des
chiens qui gardaient les bastides. Ils allèrent plus loin, se perdi-
rent en promenades le long de la côte rocheuse, du côté de
Niolon, suivirent aussi les chemins étroits des gorges, cher-
555 chèrent les grottes, les crevasses lointaines. Ce fut, pendant
quinze jours, des nuits pleines de jeux et de tendresses. La
lune avait disparu, le ciel était redevenu noir ; mais, maintenant, il leur semblait que la Blancarde était trop petite pour
les contenir, ils avaient le besoin de se posséder dans toute la
560 largeur de la terre.

Une nuit, comme ils suivaient un chemin au-dessus de
L'Estaque, pour gagner les gorges de la Nerthe, ils crurent
entendre un pas étouffé qui les accompagnait, derrière un petit
bois de pins, planté au bord de la route. Ils s'arrêtèrent, pris
565 d'inquiétude.

« Entends-tu ? demanda Frédéric.

– Oui, quelque chien perdu », murmura Naïs.

Et ils continuèrent leur marche. Mais, au premier coude du chemin, comme le petit bois cessait, ils virent distinctement une masse noire se glisser derrière les rochers. C'était, à coup sûr, un être humain, bizarre et comme bossu. Naïs eut une légère exclamation.

« Attends-moi », dit-elle rapidement.

Elle s'élança à la poursuite de l'ombre. Bientôt, Frédéric entendit un chuchotement rapide. Puis elle revint, tranquille, un peu pâle.

« Qu'est-ce donc ? demanda-t-il.

– Rien », dit-elle.

Après un silence, elle reprit :

« Si tu entends marcher, n'aie pas peur. C'est Toine, tu sais ? le bossu. Il veut veiller sur nous. »

En effet, Frédéric, sentait parfois dans l'ombre quelqu'un qui les suivait. Il y avait comme une protection autour d'eux. À plusieurs reprises, Naïs avait voulu chasser Toine ; mais le pauvre être ne demandait qu'à être son chien : on ne le verrait pas, on ne l'entendrait pas, pourquoi ne point lui permettre d'agir à sa guise ? Dès lors, si les amants eussent écouté, quand ils se baisaient à pleine bouche dans les tuileries en ruine, au milieu des carrières désertes, au fond des gorges perdues, ils auraient surpris derrière eux des bruits étouffés de sanglots. C'était Toine, leur chien de garde, qui pleurait dans ses poings tordus.

Et ils n'avaient pas que les nuits. Maintenant, ils s'enhardissaient, ils profitaient de toutes les occasions. Souvent, dans un corridor de la Blancarde, dans une pièce où ils se rencontraient, ils échangeaient un long baiser. Même à table, lorsqu'elle servait et qu'il demandait du pain ou une assiette, il trouvait le moyen de lui serrer les doigts. La rigide Mme Rostand, qui ne voyait rien, accusait toujours son fils d'être trop sévère pour son ancienne camarade. Un jour, elle faillit

600 les surprendre ; mais la jeune fille, ayant entendu le petit bruit de sa robe, se baissa vivement et se mit à essuyer avec son mouchoir les pieds du jeune maître, blancs de poussière.

Naïs et Frédéric goûtaient encore mille petites joies. Souvent, après le dîner, quand la soirée était fraîche, Mme Rostand
605 voulait faire une promenade. Elle prenait le bras de son fils, elle descendait à L'Estaque, en chargeant Naïs de porter son châle, par précaution. Tous trois allaient ainsi voir l'arrivée des pêcheurs de sardines. En mer, des lanternes dansaient, on distinguait bientôt les masses noires des barques, qui abor-
610 daient avec le sourd battement des rames. Les jours de grande pêche, des voix joyeuses s'élevaient, des femmes accouraient, chargées de paniers ; et les trois hommes qui montaient chaque barque se mettaient à dévider le filet, laissé en tas sous les bancs. C'était comme un large ruban sombre, tout pailleté
615 de lames d'argent ; les sardines, pendues par les ouïes aux fils des mailles, s'agitaient encore, jetaient des reflets de métal ; puis, elles tombaient dans les paniers, ainsi qu'une pluie d'écus, à la lumière pâle des lanternes. Souvent, Mme Rostand restait devant une barque, amusée par ce spectacle ; elle avait lâché
620 le bras de son fils, elle causait avec les pêcheurs, tandis que Frédéric, près de Naïs, en dehors du rayon de la lanterne, lui serrait les poignets à les briser.

Cependant, le père Micoulin gardait son silence de bête expé-
rimentée et têtue. Il allait en mer, revenait donner un coup de
625 bêche, de sa même allure sournoise. Mais ses petits yeux gris avaient depuis quelque temps une inquiétude. Il jetait sur Naïs des regards obliques, sans rien dire. Elle lui semblait changée, il flairait en elle des choses qu'il ne s'expliquait pas. Un jour, elle osa lui tenir tête. Micoulin lui allongea un tel soufflet qu'il
630 lui fendit la lèvre.

Le soir, quand Frédéric sentit sous un baiser la bouche de Naïs enflée, il l'interrogea vivement.

« Ce n'est rien, un soufflet que mon père m'a donné »,
dit-elle.

635   Sa voix s'était assombrie. Comme le jeune homme se fâchait
et déclarait qu'il mettrait ordre à cela :

« Non, laisse, reprit-elle, c'est mon affaire… Oh ! ça finira ! »

Elle ne lui parlait jamais des gifles qu'elle recevait. Seulement,
les jours où son père l'avait battue, elle se pendait au cou de
640   son amant avec plus d'ardeur, comme pour se venger du vieux.

Depuis trois semaines, Naïs sortait presque chaque nuit.
D'abord elle avait pris de grandes précautions, puis une audace
froide lui était venue, et elle osait tout. Quand elle comprit
que son père se doutait de quelque chose, elle redevint
645   prudente. Elle manqua deux rendez-vous. Sa mère lui avait
dit que Micoulin ne dormait plus la nuit : il se levait, allait
d'une pièce dans une autre. Mais, devant les regards suppliants
de Frédéric, le troisième jour, Naïs oublia de nouveau toute
prudence. Elle descendit vers onze heures, en se promettant
650   de ne point rester plus d'une heure dehors ; et elle espérait que
son père, dans le premier sommeil, ne l'entendrait pas.

Frédéric l'attendait sous les oliviers. Sans parler de ses
craintes, elle refusa d'aller plus loin. Elle se sentait trop lasse,
disait-elle, ce qui était vrai, car elle ne pouvait, comme lui,
655   dormir pendant le jour. Ils se couchèrent à leur place habituelle, au-dessus de la mer, devant Marseille allumé. Le phare
de Planier luisait. Naïs, en le regardant, s'endormit sur l'épaule
de Frédéric. Celui-ci ne remua plus ; et peu à peu il céda lui-
même à la fatigue, ses yeux se fermèrent. Tous deux, aux bras
660   l'un de l'autre, mêlaient leurs haleines.

Aucun bruit, on n'entendait que la chanson aigre des sauterelles vertes. La mer dormait comme les amants. Alors, une
forme noire sortit de l'ombre et s'approcha. C'était Micoulin,
qui, réveillé par le craquement d'une fenêtre, n'avait pas trouvé
665   Naïs dans sa chambre. Il était sorti, en emportant une petite

hachette, à tout hasard. Quand il aperçut une tache sombre
sous l'olivier, il serra le manche de la hachette. Mais les enfants
ne bougeaient point, il put arriver jusqu'à eux, se baisser, les
regarder au visage. Un léger cri lui échappa, il venait de recon-
670 naître le jeune maître. Non, non, il ne pouvait le tuer ainsi :
le sang répandu sur le sol, qui en garderait la trace, lui coûte-
rait trop cher. Il se releva, deux plis de décision farouche
coupaient sa face de vieux cuir, raidie de rage contenue. Un
paysan n'assassine pas son maître ouvertement, car le maître,
675 même enterré, est toujours le plus fort. Et le père Micoulin
hocha la tête, s'en alla à pas de loup, en laissant les deux amoureux dormir.

Quand Naïs rentra, un peu avant le jour, très inquiète de sa
longue absence, elle trouva sa fenêtre telle qu'elle l'avait laissée.
680 Au déjeuner, Micoulin la regarda tranquillement manger son
morceau de pain. Elle se rassura, son père ne devait rien savoir.

IV

« Monsieur Frédéric, vous ne venez donc plus en mer ? »
demanda un soir le père Micoulin.

Mme Rostand, assise sur la terrasse, à l'ombre des pins,
685 brodait un mouchoir, tandis que son fils, couché près d'elle,
s'amusait à jeter des petits cailloux.

« Ma foi, non ! répondit le jeune homme. Je deviens paresseux.

– Vous avez tort, reprit le méger. Hier, les jambins étaient
690 pleins de poissons. On prend ce qu'on veut, en ce moment…
Cela vous amuserait. Accompagnez-moi demain matin. »

Il avait l'air si bonhomme, que Frédéric, qui songeait à Naïs
et ne voulait pas le contrarier, finit par dire :

« Mon Dieu ! je veux bien… Seulement, il faudra me réveiller.
695 Je vous préviens qu'à cinq heures je dors comme une souche. »
Mme Rostand avait cessé de broder, légèrement inquiète.

« Et surtout soyez prudents, murmura-t-elle. Je tremble
toujours, lorsque vous êtes en mer. »

Le lendemain matin, Micoulin eut beau appeler M. Frédéric,
700 la fenêtre du jeune homme resta fermée. Alors, il dit à sa fille,
d'une voix dont elle ne remarqua pas l'ironie sauvage :

« Monte, toi… Il t'entendra peut-être. »

Ce fut Naïs qui, ce matin-là, réveilla Frédéric. Encore tout
ensommeillé, il l'attirait dans la chaleur du lit ; mais elle lui rendit
705 vivement son baiser et s'échappa. Dix minutes plus tard, le jeune
homme parut, tout habillé de toile grise. Le père Micoulin
l'attendait patiemment, assis sur le parapet de la terrasse.

« Il fait déjà frais, vous devriez prendre un foulard », dit-il.

Naïs remonta chercher un foulard. Puis, les deux hommes
710 descendirent l'escalier, aux marches raides, qui conduisait à
la mer, pendant que la jeune fille, debout, les suivait des yeux.
En bas, le père Micoulin leva la tête, regarda Naïs ; et deux
grands plis se creusaient aux coins de sa bouche.

Depuis cinq jours, le terrible vent du nord-ouest, le mistral,
715 soufflait. La veille, il était tombé vers le soir. Mais, au lever
du soleil, il avait repris, faiblement d'abord. La mer, à cette
heure matinale, houleuse sous les haleines brusques qui la
fouettaient, se moirait[13] de bleu sombre ; et, éclairée de biais
par les premiers rayons, elle roulait de petites flammes à la
720 crête de chaque vague. Le ciel était presque blanc, d'une limpi-
dité cristalline. Marseille, dans le fond, avait une netteté de
détails qui permettait de compter les fenêtres sur les façades
des maisons ; tandis que les rochers du golfe s'allumaient de
teintes roses, d'une extrême délicatesse.

---

13. Avait des reflets changeants, chatoyants.

725 « Nous allons être secoués pour revenir, dit Frédéric.

– Peut-être », répondit simplement Micoulin.

Il ramait en silence, sans tourner la tête. Le jeune homme avait un instant regardé son dos rond, en pensant à Naïs ; il ne voyait du vieux que la nuque brûlée de hâle, et deux bouts
730 d'oreilles rouges, où pendaient les anneaux d'or. Puis, il s'était penché, s'intéressant aux profondeurs marines qui fuyaient sous la barque. L'eau se troublait, seules de grandes herbes vagues flottaient comme des cheveux de noyé. Cela l'attrista, l'effraya même un peu.

735 « Dites donc, père Micoulin, reprit-il après un long silence, voilà le vent qui prend de la force. Soyez prudent… Vous savez que je nage comme un cheval de plomb.

– Oui, oui, je sais », dit le vieux de sa voix sèche.

Et il ramait toujours, d'un mouvement mécanique. La barque
740 commençait à danser, les petites flammes, aux crêtes des vagues, étaient devenues des flots d'écume qui volaient sous les coups de vent. Frédéric ne voulait pas montrer sa peur, mais il était médiocrement rassuré, il eût donné beaucoup pour se rapprocher de la terre. Il s'impatienta, il cria :

745 « Où diable avez-vous fourré vos jambins, aujourd'hui ?… Est-ce que nous allons à Alger ? »

Mais le père Micoulin répondit de nouveau, sans se presser : « Nous arrivons, nous arrivons. »

Tout d'un coup, il lâcha les rames, il se dressa dans la barque,
750 chercha du regard, sur la côte, les deux points de repère ; et il dut ramer cinq minutes encore, avant d'arriver au milieu des bouées de liège, qui marquaient la place des jambins. Là, au moment de retirer les paniers, il resta quelques secondes tourné vers la Blancarde. Frédéric, en suivant la direction de ses yeux,
755 vit distinctement, sous les pins, une tache blanche. C'était Naïs, toujours accoudée à la terrasse, et dont on apercevait la robe claire.

« Combien avez-vous de jambins ? demanda Frédéric.

– Trente-cinq… Il ne faut pas flâner. »

760 Il saisit la bouée la plus voisine, il tira le premier panier. La profondeur était énorme, la corde n'en finissait plus. Enfin, le panier parut, avec la grosse pierre qui le maintenait au fond ; et, dès qu'il fut hors de l'eau, trois poissons se mirent à sauter comme des oiseaux dans une cage. On aurait cru entendre
765 un bruit d'ailes. Dans le second panier, il n'y avait rien. Mais, dans le troisième, se trouvait, par une rencontre assez rare, une petite langouste qui donnait de violents coups de queue. Dès lors, Frédéric se passionna, oubliant ses craintes, se penchant au bord de la barque, attendant les paniers avec un
770 battement de cœur. Quand il entendait le bruit d'ailes, il éprouvait une émotion pareille à celle du chasseur qui vient d'abattre une pièce de gibier. Un à un, cependant, tous les paniers rentraient dans la barque ; l'eau ruisselait, bientôt les trentecinq y furent. Il y avait au moins quinze livres de poisson, ce
775 qui est une pêche superbe pour la baie de Marseille, que plusieurs causes, et surtout l'emploi de filets à mailles trop petites, dépeuplent depuis de longues années.

« Voilà qui est fini, dit Micoulin. Maintenant, nous pouvons retourner. »

780 Il avait rangé ses paniers à l'arrière, soigneusement. Mais, quand Frédéric le vit préparer la voile, il s'inquiéta de nouveau, il dit qu'il serait plus sage de revenir à la rame, par un vent pareil. Le vieux haussa les épaules. Il savait ce qu'il faisait. Et, avant de hisser la voile, il jeta un dernier regard du côté de la
785 Blancarde. Naïs était encore là, avec sa robe claire.

Alors, la catastrophe fut soudaine, comme un coup de foudre. Plus tard, lorsque Frédéric voulut s'expliquer les choses, il se souvint que, brusquement, un souffle s'était abattu dans la voile, puis que tout avait culbuté. Et il ne se rappelait
790 rien autre, un grand froid seulement, avec une profonde

angoisse. Il devait la vie à un miracle ; il était tombé sur la voile, dont l'ampleur l'avait soutenu. Des pêcheurs, ayant vu l'accident, accoururent et le recueillirent, ainsi que le père Micoulin, qui nageait déjà vers la côte.

795 Mme Rostand dormait encore. On lui cacha le danger que son fils venait de courir. Au bas de la terrasse, Frédéric et le père Micoulin, ruisselants d'eau, trouvèrent Naïs qui avait suivi le drame.

« Coquin de sort ! criait le vieux. Nous avions ramassé les 800 paniers, nous allions rentrer... C'est pas de chance. »

Naïs, très pâle, regardait fixement son père.

« Oui, oui, murmura-t-elle, c'est pas de chance... Mais quand on vire contre le vent, on est sûr de son affaire. »

Micoulin s'emporta.

805 « Fainéante, qu'est-ce que tu fiches ?... Tu vois bien que M. Frédéric grelotte... Allons, aide-le à rentrer. »

Le jeune homme en fut quitte pour passer la journée dans son lit. Il parla d'une migraine à sa mère. Le lendemain, il trouva Naïs très sombre. Elle refusait les rendez-vous ; et, le 810 rencontrant un soir dans le vestibule, elle le prit d'elle-même entre ses bras, elle le baisa avec passion. Jamais elle ne lui confia les soupçons qu'elle avait conçus. Seulement, à partir de ce jour, elle veilla sur lui. Puis, au bout d'une semaine, des doutes lui vinrent. Son père allait et venait comme d'habitude ; 815 même il semblait plus doux, il la battait moins souvent.

Chaque saison, une des parties des Rostand était d'aller manger une bouillabaisse au bord de la mer, du côté de Niolon, dans un creux de rochers. Ensuite, comme il y avait des perdreaux dans les collines, les messieurs tiraient quelques 820 coups de fusil. Cette année-là, Mme Rostand voulut emmener Naïs, qui les servirait ; et elle n'écouta pas les observations du méger, dont une contrariété vive ridait la face de vieux sauvage.

On partit de bonne heure. La matinée était d'une douceur
charmante. Unie comme une glace sous le blond soleil, la mer
825 déroulait une nappe bleue ; aux endroits où passaient des
courants, elle frisait, le bleu se fonçait d'une pointe de laque
violette, tandis qu'aux endroits morts, le bleu pâlissait, prenait
une transparence laiteuse ; et l'on eût dit, jusqu'à l'horizon
limpide, une immense pièce de satin déployée, aux couleurs
830 changeantes. Sur ce lac endormi, la barque glissait mollement.

L'étroite plage où l'on aborda se trouvait à l'entrée d'une
gorge, et l'on s'installa au milieu des pierres, sur une bande
de gazon brûlé, qui devait servir de table.

C'était toute une histoire que cette bouillabaisse en plein air.
835 D'abord, Micoulin rentra dans la barque et alla seul retirer
ses jambins, qu'il avait placés la veille. Quand il revint, Naïs
avait arraché des thyms, des lavandes, un tas de buissons
secs suffisant pour allumer un grand feu. Le vieux, ce jour-
là, devait faire la bouillabaisse, la soupe au poisson classique,
840 dont les pêcheurs du littoral se transmettent la recette de père
en fils. C'était une bouillabaisse terrible, fortement poivrée,
terriblement parfumée d'ail écrasé. Les Rostand s'amusaient
beaucoup de la confection de cette soupe.

« Père Micoulin, dit Mme Rostand qui daignait plaisanter
845 en cette circonstance, allez-vous la réussir aussi bien que
l'année dernière ? »

Micoulin semblait très gai. Il nettoya d'abord le poisson
dans de l'eau de mer, pendant que Naïs sortait de la barque
une grande poêle. Ce fut vite bâclé : le poisson au fond de la
850 poêle, simplement couvert d'eau, avec de l'oignon, de l'huile,
de l'ail, une poignée de poivre, une tomate, un demi-verre
d'huile ; puis, la poêle sur le feu, un feu formidable, à rôtir
un mouton. Les pêcheurs disent que le mérite de la bouillabaisse est dans la cuisson : il faut que la poêle disparaisse au
855 milieu des flammes. Cependant, le méger, très grave, coupait

des tranches de pain dans un saladier. Au bout d'une demi-heure, il versa le bouillon sur les tranches et servit le poisson à part.

« Allons! dit-il. Elle n'est bonne que brûlante. »

860 Et la bouillabaisse fut mangée, au milieu des plaisanteries habituelles.

« Dites donc, Micoulin, vous avez mis de la poudre dedans ?

– Elle est bonne, mais il faut un gosier en fer. »

Lui, dévorait tranquillement, avalant une tranche à chaque
865 bouchée. D'ailleurs, il témoignait, en se tenant un peu à l'écart, combien il était flatté de déjeuner avec les maîtres.

Après le déjeuner, on resta là, en attendant que la grosse chaleur fût passée. Les rochers, éclatants de lumière, éclaboussés de tons roux, étalaient des ombres noires. Des buis-
870 sons de chênes verts les tachaient de marbrures sombres, tandis que, sur les pentes, des bois de pins montaient, réguliers, pareils à une armée de petits soldats en marche. Un lourd silence tombait avec l'air chaud.

Mme Rostand avait apporté l'éternel travail de broderie
875 qu'on lui voyait toujours aux mains. Naïs, assise près d'elle, paraissait s'intéresser au va-et-vient de l'aiguille. Mais son regard guettait son père, il faisait la sieste, allongé à quelques pas. Un peu plus loin, Frédéric dormait lui aussi, sous son chapeau de paille rabattu, qui lui protégeait le visage.

880 Vers quatre heures, ils s'éveillèrent. Micoulin jurait qu'il connaissait une compagnie de perdreaux, au fond de la gorge. Trois jours auparavant, il les avait encore vus. Alors, Frédéric se laissa tenter, tous deux prirent leur fusil.

« Je t'en prie, criait Mme Rostand, sois prudent… Le pied
885 peut glisser, et l'on se blesse soi-même.

– Ah! ça arrive », dit tranquillement Micoulin.

Ils partirent, ils disparurent derrière les rochers. Naïs se leva brusquement et les suivit à distance, en murmurant :

« Je vais voir. »

890 Au lieu de rester dans le sentier, au fond de la gorge, elle se jeta vers la gauche, parmi des buissons, pressant le pas, évitant de faire rouler les pierres. Enfin, au coude du chemin, elle aperçut Frédéric. Sans doute, il avait déjà fait lever les perdreaux, car il marchait rapidement, à demi courbé, prêt à 895 épauler son fusil. Elle ne voyait toujours pas son père. Puis, tout d'un coup, elle le découvrit de l'autre côté du ravin, sur la pente où elle se trouvait elle-même : il était accroupi, il semblait attendre. À deux reprises, il leva son arme. Si les perdreaux s'étaient envolés entre lui et Frédéric, les chasseurs, 900 en tirant, pouvaient s'atteindre. Naïs, qui se glissait de buisson en buisson, était venue se placer, anxieuse, derrière le vieux.

Les minutes s'écoulaient. En face, Frédéric avait disparu dans un pli de terrain. Il reparut, il resta un moment immobile. Alors, de nouveau, Micoulin, toujours accroupi, ajusta 905 longuement le jeune homme. Mais, d'un coup de pied, Naïs avait haussé le canon, et la charge partit en l'air, avec une détonation terrible, qui roula dans les échos de la gorge.

Le vieux s'était relevé. En apercevant Naïs, il saisit par le canon son fusil fumant, comme pour l'assommer d'un coup 910 de crosse. La jeune fille se tenait debout, toute blanche, avec des yeux qui jetaient des flammes. Il n'osa pas frapper, il bégaya seulement en patois, tremblant de rage :

« Va, va, je le tuerai. »

Au coup de feu du méger, les perdreaux s'étaient envolés, 915 Frédéric en avait abattu deux. Vers six heures, les Rostand rentrèrent à la Blancarde. Le père Micoulin ramait, de son air de brute têtue et tranquille.

à suivre…

Repérer et analyser

Le temps et la progression de l'action

1 Relevez l'ellipse qui ouvre le chapitre 2. Combien de jours se sont écoulés depuis la fin du chapitre 1 ?

2 À quelle saison et dans quel lieu l'action se déroule-t-elle ?

3 a. Quel est l'âge de Naïs au moment de l'action ?
b. Quelle fonction Mme Rostand demande-t-elle à Naïs d'occuper ? En quoi cette fonction marque-t-elle une étape importante dans l'action ?

4 Repérez au chapitre 2 la scène qui constitue la première rencontre sentimentale entre Naïs et Frédéric. À quelle fréquence les personnages se rencontrent-ils ensuite ? Le font-ils en cachette ? Comment réagit le père Micoulin lorsqu'il découvre cette relation ?

5 a. Repérez les deux scènes au cours desquelles le père Micoulin cherche à tuer Frédéric. Qui le sauve dans chacun des cas ?
b. Montrez que le narrateur ralentit à ces moments le rythme du récit. Quel est l'effet produit sur le lecteur ?

Les préparations et les reprises

6 Quel danger concernant la Blancarde est signalé au chapitre 2 ?

7 À quel endroit Frédéric et Naïs se retrouvent-ils pour leur premier rendez-vous galant ? Sous quel arbre ?

Les personnages

Le père Micoulin et Naïs

8 Quelle fonction les Micoulin occupent-ils à la Blancarde ?

9 Comment le père Micoulin se comporte-t-il envers sa femme et sa fille ? Quelle image le narrateur donne-t-il de lui ? Appuyez-vous sur les expressions qui le caractérisent.

10 a. Quel genre de vie Micoulin fait-il mener à sa fille ? Pour quelle raison attend-elle septembre avec impatience ?
b. Quels sentiments Naïs éprouve-t-elle envers son père, notamment lorsqu'elle a été battue ? Montrez que ces sentiments vont en s'amplifiant au cours de la nouvelle.

11 Quel travail Naïs faisait-elle avant d'entrer au service de Mme Rostand ? Ce travail lui convenait-il ? Justifiez votre réponse.

12 **a.** Quel portrait le narrateur fait-il d'elle au chapitre 2 ?

b. À quels personnages la compare-t-il ? Quelle image donne-t-il d'elle par ces comparaisons ou métaphores ?

13 Montrez que son comportement est par la suite conforme à cette image.

a. À partir de quand se rend-elle compte des intentions de son père envers Frédéric ? À quel moment ses craintes sont-elles confirmées ?

b. Montrez qu'elle est présente les deux fois où son père cherche à tuer Frédéric. De quelle façon le sauve-t-elle ?

Frédéric et Toine

14 **a.** Comment Frédéric se comporte-t-il envers Naïs au début de son séjour à la Blancarde ? Pour quelle raison d'après vous ?

b. Quelles relations entretient-il avec Naïs par la suite ?

c. Frédéric se doute-t-il que le père Micoulin en veut à sa vie ? Sait-il ce qu'il doit à Naïs ?

15 **a.** Qui est Toine ? Où Naïs l'a-t-elle connu ?

b. Qu'éprouve-t-il pour Naïs ? Quel pouvoir Naïs a-t-elle sur lui ?

c. Quand apparaît-il chapitre 3 ? Quel rôle joue-t-il auprès des amants ?

Le naturalisme zolien

Le regard du peintre

Zola, comme les peintres impressionnistes qu'il a beaucoup fréquentés (il a été notamment l'ami de Cézanne), est sensible aux jeux de lumière et aux effets de miroitement. Il restitue les impressions, peint des taches de couleur, estompe les contours.

16 **a.** Montrez que la description du paysage l. 448 à 505 s'apparente à un tableau impressionniste. Appuyez-vous sur la composition de l'espace, sur le relevé du lexique des formes, des couleurs, des lumières.

b. Relevez dans la suite du chapitre 3 d'autres exemples dans lesquels le narrateur met en valeur les jeux sur les couleurs et les lumières. Quelle image donne-t-il de ce paysage ?

c. Relevez dans le chapitre 3 les termes et types de phrases par lesquels le narrateur marque son émerveillement devant ce paysage.

La dimension symbolique

17 En quoi, dans le chapitre 3, le paysage est-il en accord avec les sentiments des personnages ? Pour répondre :
– relevez des exemples de termes qui s'appliquent au paysage et qui expriment l'amour, la tendresse, la sensualité ;
– relevez le lexique des sensations tactiles, olfactives, auditives qui émanent de ce paysage :
– repérez deux évocations de Marseille et du phare de Planier. Montrez qu'elles sont liées aux rencontres de Frédéric et de Naïs.

18 Montrez que lorsque l'action confine au tragique, le paysage est altéré.
a. Quel élément météorologique survient au chapitre 4 ? Relevez à la fin de ce passage la comparaison qui introduit une marque inquiétante dans le paysage. Quel événement annonce-t-elle ?
b. Quelles marques inquiétantes notez-vous lignes 708 à 734 ?

Les quatre éléments

Quatre éléments constituent les principes du monde : l'eau, la terre, l'air, le feu.

19 **a.** Relevez chapitre 3 des exemples de mots et expressions se référant à chacun des quatre éléments, sous quelque forme que ce soit.
b. Montrez qu'à ce moment de l'action, ces quatre éléments ne sont ni destructeurs ni inquiétants. Pour répondre, dites ce que chacun d'eux symbolise ou quel bienfait il apporte aux personnages. Pour la symbolique de la terre, appuyez-vous sur la fin du chapitre 3.

20 Montrez ensuite que ces quatre éléments sont en harmonie, bien qu'étant de natures contraires. Pour répondre, dites en quoi la couleur de la terre permet de la rapprocher d'un autre élément et dites de quelle façon l'eau et le feu, ou bien l'air et le feu ou encore l'air et la terre se rencontrent. Appuyez-vous sur le texte, notamment lignes 481 à 505.

Les hypothèses de lecture

21 Montrez que la tension dramatique augmente au cours de ces chapitres. À quelle suite le lecteur peut-il s'attendre ?

V

Septembre s'acheva. Après un violent orage, l'air avait pris une grande fraîcheur. Les jours devenaient plus courts, et Naïs
920 refusait de rejoindre Frédéric la nuit, en lui donnant pour prétexte qu'elle était trop lasse, qu'ils attraperaient du mal, sous les abondantes rosées qui trempaient la terre. Mais, comme elle venait chaque matin, vers six heures, et que Mme Rostand ne se levait guère que trois heures plus tard, elle
925 montait dans la chambre du jeune homme, elle restait quelques instants, l'oreille aux aguets, écoutant par la porte laissée ouverte.

Ce fut l'époque de leurs amours où Naïs témoigna le plus de tendresse à Frédéric. Elle le prenait par le cou, approchait
930 son visage, le regardait de tout près, avec une passion qui lui emplissait les yeux de larmes. Il semblait toujours qu'elle ne devait pas le revoir. Puis, elle lui mettait vivement une pluie de baisers sur le visage, comme pour protester et jurer qu'elle saurait le défendre.

935 « Qu'a donc Naïs ? disait souvent Mme Rostand. Elle change tous les jours. »

Elle maigrissait en effet, ses joues devenaient creuses. La flamme de ses regards s'était assombrie. Elle avait de longs silences, dont elle sortait en sursaut, de l'air inquiet d'une fille
940 qui vient de dormir et de rêver.

« Mon enfant, si tu es malade, il faut te soigner », répétait sa maîtresse.

Mais Naïs, alors, souriait.

« Oh ! non, madame, je me porte bien, je suis heureuse...
945 Jamais je n'ai été si heureuse. »

Un matin, comme elle l'aidait à compter le linge, elle s'enhardit, elle osa la questionner.

« Vous resterez donc tard à la Blancarde, cette année ?
– Jusqu'à la fin d'octobre », répondit Mme Rostand.

950 Et Naïs demeura debout un instant, les yeux perdus ; puis,
elle dit tout haut, sans en avoir conscience :

« Encore vingt jours. »

Un continuel combat l'agitait. Elle aurait voulu garder Frédéric
auprès d'elle, et en même temps, à chaque heure, elle était tentée
955 de lui crier : « Va-t'en ! » Pour elle, il était perdu ; jamais cette
saison d'amour ne recommencerait, elle se l'était dit dès le
premier rendez-vous. Même, un soir de sombre tristesse, elle se
demanda si elle ne devait pas laisser tuer Frédéric par son père,
pour qu'il n'allât pas avec d'autres ; mais la pensée de le savoir
960 mort, lui si délicat, si blanc, plus demoiselle qu'elle, lui était
insupportable ; et sa mauvaise pensée lui fit horreur. Non, elle
le sauverait, il n'en saurait jamais rien, il ne l'aimerait bientôt
plus ; seulement, elle serait heureuse de penser qu'il vivait.

Souvent, elle lui disait, le matin :

965 « Ne sors pas, ne va pas en mer, l'air est mauvais. »

D'autres fois, elle lui conseillait de partir.

« Tu dois t'ennuyer, tu ne m'aimeras plus… Va donc passer
quelques jours à la ville. »

Lui, s'étonnait de ces changements d'humeur. Il trouvait la
970 paysanne moins belle, depuis que son visage se séchait, et une
satiété de ces amours violentes commençait à lui venir. Il regret-
tait l'eau de Cologne et la poudre de riz des filles d'Aix et de
Marseille.

Toujours, bourdonnaient aux oreilles de Naïs les mots du
975 père : « Je le tuerai… Je le tuerai… » La nuit, elle s'éveillait en
rêvant qu'on tirait des coups de feu. Elle devenait peureuse,
poussait un cri, pour une pierre qui roulait sous ses pieds. À
toute heure, quand elle ne le voyait plus, elle s'inquiétait de
« M. Frédéric ». Et, ce qui l'épouvantait, c'est qu'elle entendait,
980 du matin au soir, le silence entêté de Micoulin répéter : « Je le
tuerai. » Il n'avait plus fait une allusion, pas un mot, pas un
geste ; mais, pour elle, les regards du vieux, chacun de ses

mouvements, sa personne entière disait qu'il tuerait le jeune
maître à la première occasion, quand il ne craindrait pas d'être
985 inquiété par la justice. Après, il s'occuperait de Naïs. En
attendant, il la traitait à coups de pied, comme un animal qui
a fait une faute.

« Et ton père, il est toujours brutal ? lui demanda un matin
Frédéric, qui fumait des cigarettes dans son lit, pendant qu'elle
990 allait et venait, mettant un peu d'ordre.

– Oui, répondit-elle, il devient fou. »

Et elle montra ses jambes noires de meurtrissures. Puis, elle
murmura ces mots qu'elle disait souvent d'une voix sourde :

« Ça finira, ça finira. »

995 Dans les premiers jours d'octobre, elle parut encore plus
sombre. Elle avait des absences, remuait les lèvres, comme si
elle se fût parlée tout bas. Frédéric l'aperçut plusieurs fois
debout sur la falaise, ayant l'air d'examiner les arbres autour
d'elle, mesurant d'un regard la profondeur du gouffre. À
1000 quelques jours de là, il la surprit avec Toine, le bossu, en train
de cueillir des figues, dans un coin de la propriété. Toine venait
aider Micoulin, quand il y avait trop de besogne. Il était sous
le figuier, et Naïs, montée sur une grosse branche, plaisantait ;
elle lui criait d'ouvrir la bouche, elle lui jetait des figues, qui
1005 s'écrasaient sur sa figure. Le pauvre être ouvrait la bouche,
fermait les yeux avec extase ; et sa large face exprimait une
béatitude[1] sans bornes. Certes, Frédéric n'était pas jaloux,
mais il ne put s'empêcher de la plaisanter.

« Toine se couperait la main pour nous, dit-elle de sa voix
1010 brève. Il ne faut pas le maltraiter, on peut avoir besoin de lui. »

Le bossu continua de venir tous les jours à la Blancarde. Il
travaillait sur la falaise, à creuser un étroit canal pour mener les
eaux au bout du jardin, dans un potager qu'on tentait d'établir.

---

1. Bonheur calme, sans inquiétude.

Extrait du film *Naïs*, avec Fernandel dans le rôle de Toine.

Parfois, Naïs allait le voir, et ils causaient vivement tous les
deux. Il fit tellement traîner cette besogne, que le père Micoulin
finit par le traiter de fainéant et par lui allonger des coups de
pied dans les jambes, comme à sa fille.

Il y eut deux jours de pluie. Frédéric, qui devait retourner à
Aix la semaine suivante, avait décidé qu'avant son départ il
irait donner en mer un coup de filet avec Micoulin. Devant
la pâleur de Naïs, il s'était mis à rire, en disant que cette fois
il ne choisirait pas un jour de mistral. Alors, la jeune fille, puisqu'il partait bientôt, voulut lui accorder encore un rendez-
vous, la nuit. Vers une heure, ils se retrouvèrent sur la terrasse.
La pluie avait lavé le sol, une odeur forte sortait des verdures
rafraîchies. Lorsque cette campagne si desséchée se mouille
profondément, elle prend une violence de couleurs et de
parfums : les terres rouges saignent, les pins ont des reflets
d'émeraude, les rochers laissent éclater des blancheurs de linges
fraîchement lessivés. Mais, dans la nuit, les amants ne goûtaient
que les senteurs décuplées des thyms et des lavandes.

L'habitude les mena sous les oliviers. Frédéric s'avançait vers celui qui avait abrité leurs amours, tout au bord du gouffre, lorsque Naïs, comme revenant à elle, le saisit par les bras, l'en-
1035 traîna loin du bord, en disant d'une voix tremblante :

« Non, non, pas là !

– Qu'as-tu donc ? » demanda-t-il.

Elle balbutiait, elle finit par dire qu'après une pluie comme celle de la veille, la falaise n'était pas sûre. Et elle ajouta :
1040 « L'hiver dernier, un éboulement s'est produit ici près. »

Ils s'assirent plus en arrière, sous un autre olivier. Ce fut leur dernière nuit de tendresse. Naïs avait des étreintes inquiètes. Elle pleura tout d'un coup, sans vouloir avouer pourquoi elle était ainsi secouée. Puis, elle tombait dans des silences pleins de froideur. Et,
1045 comme Frédéric la plaisantait sur l'ennui qu'elle éprouvait main-tenant avec lui, elle le reprenait follement, elle murmurait :

« Non, ne dis pas ça. Je t'aime trop… Mais, vois-tu, je suis malade. Et puis, c'est fini, tu vas partir… Ah ! mon Dieu, c'est fini… »
1050 Il eut beau chercher à la consoler, en lui répétant qu'il revien-drait de temps à autre, et qu'au prochain automne, ils auraient encore deux mois devant eux : elle hochait la tête, elle sentait bien que c'était fini. Leur rendez-vous s'acheva dans un silence embarrassé ; ils regardaient la mer, Marseille qui étincelait, le
1055 phare de Planier qui brûlait solitaire et triste ; peu à peu, une mélancolie leur venait de ce vaste horizon. Vers trois heures, lorsqu'il la quitta et qu'il la baisa aux lèvres, il la sentit toute grelottante, glacée entre ses bras.

Frédéric ne put dormir. Il lut jusqu'au jour ; et, enfiévré d'in-
1060 somnie, il se mit à la fenêtre, dès que l'aube parut. Justement, Micoulin allait partir pour retirer ses jambins. Comme il passait sur la terrasse, il leva la tête.

« Eh bien ! monsieur Frédéric, ce n'est pas ce matin que vous venez avec moi ? demanda-t-il.

065 – Ah ! non, père Micoulin, répondit le jeune homme, j'ai
trop mal dormi… Demain, c'est convenu. »

Le méger s'éloigna d'un pas traînard. Il lui fallait descendre
et aller chercher sa barque au pied de la falaise, juste sous l'olivier où il avait surpris sa fille. Quand il eut disparu, Frédéric,
070 en tournant les yeux, fut étonné de voir Toine déjà au travail ;
le bossu se trouvait près de l'olivier, une pioche à la main, répa-
rant l'étroit canal que les pluies avaient crevé. L'air était frais,
il faisait bon à la fenêtre. Le jeune homme rentra dans sa
chambre pour rouler une cigarette. Mais, comme il revenait
075 lentement s'accouder, un bruit épouvantable, un grondement
de tonnerre, se fit entendre ; et il se précipita.

C'était un éboulement. Il distingua seulement Toine qui se
sauvait en agitant sa bêche, dans un nuage de terre rouge. Au
bord du gouffre, le vieil olivier aux branches tordues s'enfon-
080 çait, tombait tragiquement à la mer. Un rejaillissement d'écume
montait. Cependant, un cri terrible avait traversé l'espace. Et
Frédéric aperçut alors Naïs, qui, sur ses bras raidis, emportée
par un élan de tout son corps, se penchait au-dessus du parapet
de la terrasse, pour voir ce qui se passait au bas de la falaise.
085 Elle restait là, immobile, allongée, les poignets comme scellés
dans la pierre. Mais elle eut sans doute la sensation que quelqu'un la regardait, car elle se tourna, elle cria en voyant Frédéric :
« Mon père ! Mon père ! »

Une heure après, on trouva, sous les pierres, le corps de
090 Micoulin mutilé horriblement. Toine, fiévreux, racontait
qu'il avait failli être entraîné ; et tout le pays déclarait qu'on
n'aurait pas dû faire passer un ruisseau là-haut, à cause des
infiltrations. La mère Micoulin pleura beaucoup. Naïs accom-
pagna son père au cimetière, les yeux secs et enflammés, sans
095 trouver une larme.

Le lendemain de la catastrophe, Mme Rostand avait absolument voulu rentrer à Aix. Frédéric fut très satisfait de ce

départ, en voyant ses amours dérangées par ce drame horrible ; d'ailleurs, décidément les paysannes ne valaient pas les filles.
1100 Il reprit son existence. Sa mère, touchée de son assiduité près d'elle à la Blancarde, lui accorda une liberté plus grande. Aussi passa-t-il un hiver charmant : il faisait venir des dames de Marseille, qu'il hébergeait dans une chambre louée par lui, au faubourg ; il découchait[2], rentrait seulement aux heures où
1105 sa présence était indispensable, dans le grand hôtel froid de la rue du Collège ; et il espérait bien que son existence coulerait toujours ainsi.

À Pâques, M. Rostand dut aller à la Blancarde. Frédéric inventa un prétexte pour ne pas l'accompagner. Quand l'avoué
1110 revint, il dit, au déjeuner :

« Naïs se marie.

– Bah ! s'écria Frédéric stupéfait.

– Et vous ne devineriez jamais avec qui, continua M. Rostand. Elle m'a donné de si bonnes raisons… »
1115 Naïs épousait Toine, le bossu. Comme cela, rien ne serait changé à la Blancarde. On garderait pour méger Toine, qui prenait soin de la propriété depuis la mort du père Micoulin.

Le jeune homme écoutait avec un sourire gêné. Puis, il trouva lui-même l'arrangement commode pour tout le monde.
1120 « Naïs est bien vieillie, bien enlaidie, reprit M. Rostand. Je ne la reconnaissais pas. C'est étonnant comme ces filles, au bord de la mer, passent vite… Elle était très belle, cette Naïs.

– Oh ! un déjeuner de soleil[3] », dit Frédéric, qui achevait tranquillement sa côtelette.

Émile Zola, « Naïs Micoulin », 1877.

---

2. Couchait hors de chez lui.   3. Chose éphémère.

Repérer et analyser

Le temps, le rythme de la narration et l'action

1 Relevez l'indication temporelle qui ouvre le chapitre 5. À quel mois de l'année l'action se déroule-t-elle ?

2 Quel événement survient au chapitre 5 ? En quoi constitue-t-il un dénouement ? Montrez que le narrateur s'attarde sur cet événement, sur le moment qui le précède et qui le suit. Appuyez-vous sur les indications temporelles et sur le nombre de lignes.

3 **a.** Que font Frédéric et sa mère après cet événement ? Montrez que le narrateur accélère à partir de là le rythme de la narration. Pour répondre, relevez un sommaire et une ellipse. Dites quelles actions sont résumées et à quelle époque elles ont lieu.

b. Qu'advient-il de Naïs à la fin de la nouvelle ?

4 À quelle période de l'année l'action se clôt-elle ? Quelle a été la durée de l'action dans l'ensemble de la nouvelle ?

Le mode de narration et le jeu sur les points de vue

L'implicite : on entend par implicite ce qui n'est pas formellement exprimé dans un énoncé, ce qui n'est pas dit mais que l'on peut néanmoins supposer ou déduire. Le contraire de l'implicite est l'explicite.

5 Quel acte Naïs commet-elle ? Le narrateur le dit-il explicitement ? Quels différents indices permettent de lui en attribuer la responsabilité ? Appuyez-vous sur les paroles qu'elle prononce et que le narrateur rapporte au style direct, sur son comportement à différents moments et sur sa réaction lorsqu'elle s'aperçoit qu'on la regarde.

6 Relisez les lignes 1059 à 1088. Selon quel point de vue le narrateur raconte-t-il les faits ? Quel est l'intérêt du choix de ce point de vue ?

Les personnages

Naïs

7 Montrez en citant le texte que Naïs éprouve de plus en plus de tendresse pour Frédéric.

8 a. Quels sentiments opposés agitent Naïs (l. 953)? Identifiez le style selon lequel le narrateur rapporte son combat intérieur.
b. Par quelle crainte est-elle toujours assaillie? Montrez que cela devient une obsession. En quoi son physique ainsi que son état mental en sont-ils affectés? Citez le texte.

9 Quelles relations entretient-elle avec son père? Comment la traite-t-il? En quoi ces relations préparent-elles le dénouement?

10 Le schéma actantiel

> Un personnage est soumis à diverses forces qui le poussent à agir ou lui font obstacle. Établir ce qu'on appelle le schéma actantiel, c'est analyser les forces qui s'exercent sur ce personnage et c'est se demander ce qu'il cherche à obtenir (objet de la quête), ce qui le pousse à agir (sentiment, autre personnage…), qui va l'aider (adjuvant), qui va s'opposer à lui (opposant) et à qui profite la quête (bénéficiaire).

Quels sentiments poussent Naïs à commettre l'acte qu'elle a projeté? Qui s'oppose à elle? Qui l'aide? De quelle façon? Pour qui agit-elle?

11 Quelle raison Naïs évoque-t-elle pour expliquer son mariage avec le bossu? Est-ce la véritable raison?

Frédéric

12 a. Frédéric sait-il que le père Micoulin en veut à sa vie? Comprend-il les raisons du trouble intérieur de Naïs?
b. Comment ses sentiments envers elle évoluent-ils? Justifiez.

13 Pour quelle raison, à la fin de la nouvelle, est-il content de rentrer à Aix? Quel est son comportement par la suite envers les femmes?

14 Quelle image le narrateur donne-t-il de Frédéric dans ce dernier chapitre? Cette image est-elle conforme à celle du début?

Le naturalisme zolien

L'esthétique picturale et le symbolisme du paysage

15 Relevez lignes 1018 à 1031 les notations de couleurs et de lumières qui rappellent la technique impressionniste.

16 Montrez que le cadre est en accord avec l'état intérieur des personnages. Pour cela, relevez lignes 1050 à 1058 les adjectifs qui caractérisent le phare de Planier (en quoi est-il personnifié?), et lignes 1024 à 1031 les termes qui montrent la force des sensations nées de la nature (quels sont les deux mots précis qui donnent cependant à cette évocation une note inquiétante, voire prémonitoire ?).

Les quatre éléments

> Dans l'imaginaire zolien, l'eau est particulièrement destructrice. La terre est meurtrière lorsqu'elle prend la forme d'un éboulement.

17 **a.** Comment le père Micoulin est-il mort ? Relevez le lexique se référant à l'eau, à la terre.
b. Par quel terme le feu destructeur est-il suggéré l. 1074 à 1076 ?
c. Relevez les mots qui caractérisent l'air (l. 1067 à 1081). Pourquoi, selon vous, tous les éléments ne participent-ils pas à la mort de Micoulin ?
18 Relevez les passages dans lesquels réapparaît le motif de l'olivier. En quoi cet arbre prend-il une dimension symbolique dans ce chapitre ?

La chute et la visée

19 **a.** Par l'intermédiaire des paroles de quel personnage le lecteur prend-il connaissance de la situation finale ?
b. Quel personnage a le dernier mot ? Sur quel ton les personnages parlent-ils de Naïs ? Quel est l'effet produit sur le lecteur ?
20 **a.** Montrez qu'à travers Naïs, Zola peint un type de femme résolue, qui mène l'action.
b. Quelle image Zola donne-t-il des relations sentimentales entre deux êtres de condition sociale différente ?

Écrire

Exercice de réécriture
21 Récrivez les lignes 961 à 963 au style direct puis au style indirect.

Écrire une autre fin
22 Imaginez une autre fin à la nouvelle. Vous respecterez le statut du narrateur, les personnages et le cadre.

Questions de synthèse

L'Attaque du moulin et autres nouvelles

1 Pour chacune des trois nouvelles, remplissez le tableau suivant.

	Statut du narrateur et point de vue	Incipit (entrée dans la nouvelle)	Lieu géographique et époque de l'action	Situation de départ / Élément déclencheur	Enchaînement des actions
L'Attaque du moulin					
Nantas					
Naïs Micoulin					

2 À partir de ce tableau :
- dites en quoi les trois récits appartiennent au genre de la nouvelle ;
- dégagez quelques constantes de l'esthétique de Zola ;

Dénouement (heureux, malheureux), chute / Comparaison début et fin	Durée de l'action	Les couples et leur parcours	Adjuvants ou opposants	Esthétique zolienne : naturaliste, picturale et visionnaire (exemples)	Sens du titre

– dégagez la visée de chaque nouvelle (valeurs mises en avant, éléments dénoncés, émotions suscitées chez le lecteur…).

Index des rubriques

Repérer et analyser

Table des illustrations

Iconographie : Hatier Illustration/Claire Venriès

Cartographie : Domino

Graphisme : mecano-Laurent Batard

Mise en page : Studio Bosson

Achevé d'imprimer par Black Print CPI Iberica S.L.U - Espagne
Dépôt légal 74709-0/15 - Août 2020